日本国際文化学会年報 2021

# インターカルチュラル 19

Annual Review of the Japan Society for Intercultural Studies

風行社

特集

［日本国際文化学会設立20周年記念特集］

# 平野健一郎賞<br>受賞者に聞く


**［第一部］**
**受賞者は今**

intercultural／跨文化／国際文化●稲木徹 …… 004
サステイナビリティを生存の場から紡ぎなおすために●鴫原敦子 …… 009
東アジアにおける人の移動と言語●趙貴花 …… 014
国際文化学を生きるために●山脇千賀子 …… 019
「触変」の条件●土屋明広 …… 024
〈ひと〉の視点と国際文化学●川村陶子 …… 029
文化の境界を問う――言語実践としての翻訳から考える国際文化学
●坪井睦子 …… 034
草の根の国際関係論を論じる場としての国際文化学●大和裕美子 …… 038
人の行動に立ち返って、文化的ダイナミクスを創出する●斉藤理 …… 042
石巻で考える「危機」と「希望」と「国際文化」●目黒志帆美 …… 047
「専門は国際文化学」と言うために●高橋梓 …… 052
私にとっての国際文化学――痛みを抱える個人の尊厳と向き合える
学問のために●桐谷多恵子 …… 056

**［第二部］**
**座談会「私の国際文化学」** …… 062
●［出席者］稲木徹／鴫原敦子／趙貴花／土屋明広／川村陶子
／大和裕美子／目黒志帆美／高橋梓／桐谷多恵子
●［司会］小林文生

研究論文

1940年〈東京オリンピック〉返上と日中米IOC委員のオリンピズム
——王正廷とエイブリー・ブランデージを中心に——●菅野敦志 …… 104

ポスト・スハルト体制期のインドネシア映画における家族主義
●西芳実 …… 119

書評

芝崎厚士著『国際文化交流と近現代日本——グローバル文化交流研究のために』
●井上浩子 …… 134

【会員の著書紹介】…… 138
＊奥田孝晴『国際学の道標——地球市民学への道を拓く』
＊奥田孝晴『Higashi Asia Kyodotai Eno Michi』
＊鈴木隆泰『如来出現と衆生利益——『大法鼓経』研究』
＊目黒志帆美『フラのハワイ王国史——王権と先住民文化の比較検証を通じた19世紀ハワイ史像』
＊森島豊『抵抗権と人権の思想史——欧米型と天皇型の攻防』

【博士論文紹介】
『ジャーナリスト、ミレナ・イェセンスカーの仕事
——1920年代のモード記者としての活動を中心に』●半田幸子 …… 141
『朝鮮人学校存廃問題の歴史過程
——1945–1957 グローバル・ヒストリーの視点から』●崔紗華 …… 143

**【国際文化学 私の3冊】**
国際文化学2020への示唆
●岡眞理子 …… 145

英文目次 …… 152
ABSTRACT …… 153
編集後記 …… 155
日本国際文化学会2020年度事業報告 …… 156
日本国際文化学会第19回全国大会（書面開催）プログラム …… 157
日本国際文化学会第20回全国大会開催予告 …… 160
第10回平野健一郎賞受賞者 …… 162
全国大会発表要項について …… 163
2020～2021年度役員及び各種委員一覧 …… 166
日本国際文化学会規約 …… 169
『インターカルチュラル：日本国際文化学会年報』編集要項 …… 171
『インターカルチュラル：日本国際文化学会年報』投稿規程 …… 173
平野健一郎賞規程 …… 175

【本号表紙について】

覚えておられますか、ゲノム解析をした船泊（ふなどまり）遺跡（北海道・礼文島）出土の23号人骨の復顔模型を。2018年（平成30年）のこと、上野・国立科学博物館特別展「人体」で公開され、評判になりました。この顔を見るとどこにでもいる女性であり、ほとんどわれわれの祖先としての光神にかがやいております。文字が入る前の1万2000年間はなし言葉のみで不足のなかった彼等は､陶器の膨大なコレクションを生みだしました。なんの保証もなく土に埋れましたが、いずれ残らず掘り出されることでしょう。

「おとう、月がのぼったよ。あすもいいお天気だ」
「しまうべ。また、あすもある」

陶器作りの小枝あつめ

藤田莞爾（ふじた かんじ）

［日本国際文化学会設立20周年記念特集］

# 平野健一郎賞受賞者に聞く

［第一部］

## 受賞者は今

［第二部］

## 座談会「私の国際文化学」

〈平野健一郎賞受賞者に聞く〉

# 第一部　受賞者は今

[第一部　受賞者は今]

# intercultural／跨文化／国際文化

稲木　徹
Toru INAKI
●安徽大学外籍教師
(国際法)

“intercultural”という語は、現在、国際的な法や政策でもしばしば使用されている。たとえば、文化的表現の多様性の保護および促進に関する条約(2005年採択)の目的の一つとして、インターカルチュラリティ(interculturality)の育成が含まれている。また、国連やユネスコの文書の中で「文化間対話(intercultural dialogue)」という語がよく使われるようになっている[稲木 2011]。

このように、“intercultural”という言葉は国際的に普及しており、国際的な法や政策の適切な実施のためにも、“intercultural”は国際的な共通言語[大沼 2008: 23]として論じられていくであろう。

では、国際文化学は国際的なintercultural studiesと同化していくであろうか。共通化していく部分は多いと思われるが、国際文化学が“国際文化”学である点において国際的には独自性が残り、その結果として、国際文化学は国際的な研究や実践に貢献しうると思われる。

## 1. 跨文化研究——総合的な文化論

決して網羅的ではないが、この機会に中国の研究を一読した。中国にも“interculturality”に注目する研究が少なくなく、これは“文化间性”と訳されている。

同時に、“跨文化(kuà wén huà)研究”という一群の研究がある。この研究には二つの理解があるようである。第一は“跨文化研究”をintercultural studiesと捉える理解であり、第二は“跨文化研究”をより歴史の長いcross-cultural studiesの枠内で捉える理解である。

第一の理解として、“跨文化研究”を「任意に選ばれた二種の異なる文化の比較研究を指すのではなく、二種の文化間に打ち建てられるある種の関連メカニズムの研究を指す」とし、“跨文化研究”の「固有の対象は、静態的な二種の文化およびその関係ではなく、二者の間に生まれる交互作用の関連である」と捉えるものがある［王 2007: 47-48］。

第二の理解として、“跨文化研究”を、文化交流史研究や比較文化研究を含みつつも、それらと同一でないものとみなすもの［王，陈 2006: 7］、“跨文化研究”を「異なる文化中の同類現象の検討」、「文化の間の相互影響、交流、相互作用の研究」に分け、“跨文化研究”が「文化比較研究を基礎とする」前者から後者へと重点を変えてきたと指摘するもの［何 2014: 68-70］がある。

つまり、比較研究との違いを強調するのが第一の理解であり、比較研究を取り込むのが第二の理解であるといえる。また、文化を静態として捉えるか動態として捉えるかという点で明確に区別するのが第一の理解であり、第二の理解は文化を静態動態双方から捉えていく〈総合的な文化論〉と考えることもできる。いずれにしても、intercultural studiesを重視することでは共通しており、この点においては日本の国際文化学と同様であると思われる。

“跨文化研究”という言葉に対し、個人的にさらに興味深いのは、“跨”という字を使っていることである。文字通り“跨”は「またぐ（跨ぐ）」「またがる（跨る）」という意味である。「またぐ」という動作の主体は人であり、一方の足をある文化に、もう一方の足を別の文化に置いている様子がありありと浮かんでくる。よって、“跨文化”は、“intercultural”“国際文化”と比較して、人をイメージしやすく、人に注目した研究を導きやすいように思われる。

## 2．国際文化論――総合的かつ動態的な関係論

平野教授は国際文化論を「国際関係を、人の移動と文化の移動から理解しようとする学問」［平野 2009: 47］と捉える。国際文化論は、「国際」という言葉に表れるように、国際関係に注目する。また、「国際関係を人と文化の移動から考える時に」「人と人の関係」だけではなく、「人と国家の間の関係」「文化と国家の間の関係」を考える必要性を指摘する平野教授の国際文化論［平野 2009: 48］は、「国際」を構成する「国家」に注目する点にも特徴があると思われる。

他方、平野教授の国際文化論の特徴は、その動態性にあると思われる。平野教授は自らの国際文化論を「動く国際関係論」と捉えているが、その国際関係論に動きを与えているのは、「文化要素が国境を越えて動くこと」(「動く文化要素」)「国境を越えて動く人々」[平野 2000: iii] である。

しかも研究の対象となる人は普通の人 (「普通の市民が異なる文化との対話に直接関わっている」[平野 1997: 104]) であり、また、「現代の国際社会における文化摩擦は、いっそう個人の内面の葛藤として発生し、個人内面の文化摩擦として展開することが予想される。すなわち、重層的な構造の国際社会の中心に位置し、それにしたがって複合的なアイデンティティーをもつ個人は、一つ内側の集団の文化として適合的と考えられる文化要素と、その外側の集団の文化として適合的に考えられる文化要素とのあいだの矛盾にたえず遭遇するであろう」[平野 2000: 195] と述べるように、その関心は人の内面の関係論にまで及んでいる。

以上のように、平野教授の国際文化論には "intercultural" の視点だけではなく、人の視点が多分に含まれており、国家、国際関係にも注目するものだと考えることができる。国際関係や文化だけではなく、国家、人およびその内面にまで目を向ける国際文化論は、もはや国際文化論というより、〈総合的かつ動態的な関係論〉と言いうる。

一方で、国際文化学の "国際文化" は「国際文化」をひとまとまりとして捉えることもでき、個別文化を超えた国際文化、共通文化、普遍文化などを想起させる。"跨文化" と比較して、国内の文化の共通性を捉えにくいものの、「国際文化」という言葉をめぐってさまざまなことを考えることができる。

平野教授は「国際文化の存在あるいは形成を前提としてしまうことは、現在の実情に合わないし、文化と文化変化のダイナミズムを見ようとしない怠惰に陥る危険性もある」[平野 2000: i]、「文化変化の国際競争とは文化触変過程の連続であり、文化触変である以上、文化はけっして同一にはならないのである。その意味で、普遍文化というものはなく、文化は常に多様である」[平野 2000: 199-200] として、国際文化ないし普遍文化を慎重に捉えているものの、新しい文化の創成を含む「国際文化」の研究は国際文化学の独自性の一つとして研究に値すると思われる。

現在の私の一番の関心は人権である。現在、人権と文化の関係をめぐり、「人権に関する文化間対話 (intercultural dialogue on human rights)」という形で、人権の普遍性が再度問われている [稲木 2011: 90-93; 稲木 2014: 89-95]。これは「文際的人権観は異なる文明・文化・宗教間の絶えざる対話と共通性を追求する」［大沼 1998: 315］という「文際的人権」の考えに類似し、実際、大沼教授の研究をたよりに、「インターカルチュラルな人権観念（跨文化的人权观念）」「文化を通じた人権の普遍性の観念（通过文化的人权普遍性的观念）」の必要性を説く者も出てきている［李 2006: 35］。

国際的な人権の主張には不当な介入と見られるものも見受けられるため、少なくとも人権を国際文化、共通文化、普遍文化の視点から考える必要があると考えている。「ある人権概念全体が特殊か普遍かのいずれかであるのではなく、広く捉えた人権という文化要素群が部分的に特殊であったり普遍的であったりする」［平野 1997: 102］、「人権には、文化横断的で普遍的な要素と、それぞれの文化によって異なる要素があり、双方とも、充たされる必要がある」［施 2010: 169］との指摘のように、文化要素によって細かく見ていく必要がある。また、国際文化、共通文化、普遍文化といえるのは、「人権基準の内容」か「人権という容器」かという点にも注意が必要である［齋藤 2005: 98］。

## おわりに

「現代における国際文化学は、『国際』という文化際をその一種として包摂するような、より多様な文化際を引いて研究する学問」［加藤 2017: 159］というように、“intercultural”が“国際文化”を含むととらえることもできる。文化交流創成コーディネーター資格認定制度発足趣意書（2014）が「『間－文化－学 Inter-Cultural Studies』としての国際文化学」と述べているように、近年では“intercultural”の視点が強まっている印象がある。しかし、“intercultural”“跨文化”“国際文化”という視点はそれぞれ異なり、そのどの視点も国際文化学にとって重要ではないだろうか。

現在の私たちは現実の国際関係のなかで現実の文化を捉えることを必要としている。よって、文化ばかりではなく、現実を生きる私たち一人一人、現実の国際関係およびそれに大きな影響を与えている国家を念頭に、現実の文化に取り組んでいかなければならない。私にとって国際文化学は〈総合的かつ動態的な関係論〉であり、主に比較文化の視点から文化に対処しがちな一般の人々がインターカルチュラルな現実を生きる実践の力になり、同時に、一人一人の力で足りない部分について、国際社会の法や政策を通して、つまり、「対象としての文化」［川村 2009: 180］を通して補完する際に参照されるべきものである。

今後の国際文化学は、中国の“跨文化研究”のように〈総合的な文化論〉を志向していくこともできるし、文化のみならず、人、国家、国際関係を合わせた〈総合的な関係論〉を志向していくこともできる。国際的な研究の多様性からも、法や政策とのつながりからも、国際文化学は後者を発展させていく意義があると思われる。

**〔参考文献〕**

稲木徹（2009）「『国際文化法』構想と国際文化学」『インターカルチュラル』7号、92-104頁。
稲木徹（2011）「国連とユネスコにおける文化間対話の実態——90年代以降の取り組みに照らして」『インターカルチュラル』9号、84-97頁。
稲木徹（2014）「ウィーン人権宣言の再評価——『人権に関する文化間対話』の視覚から」『法学新報』120巻9・10号、81-109頁。
大沼保昭（1998）『人権、国家、文明——普遍主義的人権観から文際的人権観へ』筑摩書房。
大沼保昭（2008）「国際法と力、国際法の力」『国際社会における法と力』日本評論社、15-102頁。
加藤恵美（2017）「国際文化学としてのヒトの国際移動研究」『インターカルチュラル』15号、151-161頁。
川村陶子（2009）「国際関係における文化——系譜とさまざまな視点」日本国際政治学会編『日本の国際政治学 第1巻 学としての国際政治』有斐閣、169-186頁。
齋藤民徒（2005）「国際法学における『文化』——人権条約の研究動向に照らして」『社會科學研究』57巻1号、83-112頁。
施光恒（2010）「人権は文化超越的価値か——人権の普遍性と文脈依存性」井上達夫編『人権論の再構築』法律文化社、158-178頁。
平野健一郎（1997）「ヒトの国際移動と国際交流——現象と活動」『国際政治』114号、95-107頁。
平野健一郎（2000）『国際文化論』東京大学出版会。
平野健一郎（2009）「国際文化論」国際文化会館新渡戸国際塾編『リーダーシップと国際性』I-House Press、47-80頁。
何平（2014）“跨文化研究的理论和方法”，《史学理论研究》，2014年04期，第68-78页。
李林（2006）“人权的普遍性与相对性：一种国际的视角”，《学习与探索》，2006年01期，第30-36页。
王才勇（2007）“文化间性问题论要”，《江西社会科学》，2007年04期，第43-48页。
王桂彩，陈村富（2006）“国际跨文化研究引论”，《浙江大学学报（人文社会科学版）》，2006年4期，第5-10页。

# サステイナビリティを生存の場から紡ぎなおすために

鴫原敦子
*Atsuko SHIGIHARA*
●東北大学大学院農学研究科 資源環境経済学講座 学術研究員（国際開発学〔開発と環境問題〕、平和学）



## 1．国際社会の分岐点としての9.11

2001年の9.11米国同時多発テロという衝撃的な事件とともに、21世紀は幕を開けました。冷戦後の世界では、米国覇権下でのグローバリゼーションが席巻しており、受賞論文[1)]が掲載された年報のタイトルは、まさしく『グローバリゼーションと文化』（2004年）でした。西欧先進諸国が国際秩序の維持を担ってきたという幻想が脆くも崩れさったこの出来事を、平野氏は、「『文明の衝突』ではなく『文明の崩壊』であった」[2)]と述べています。

折りしも2000年9月にニューヨークで開催された「国連ミレニアム開発サミット」では、「開発」が始まって半世紀を経てもなお、「絶対的貧困層」が12億人にのぼる現実を前に、より豊かで安全な21世紀の国際社会をめざし「MDGs（ミレニアム開発目標）」が合意されたばかりでした。9.11は、「開発」「近代化」を支えてきた「進歩」や「発展」、そして「貧困」などのあらゆる概念や価値観を、根本から問う出来事だったと言えます。

これら2つの出来事に象徴される時代背景の中で、私は西欧先進国をモデルとした社会システムの伝播によって「途上国」社会を「近代社会」へと導こうとする「開発」が、さらなる格差の拡大や地球環境問題の深刻化を招きつつあるという逆説的現象に問題意識を持ちました。資本主義市場経済のもとでこそ、世界の繁栄と安定がかなうという西欧的価値観のもとで進められた「開発」は、他方で途上国社会の伝統的職種の衰退や在来種の喪失、文化的多様性の破壊を生み出している点が指摘されてきたからです。そもそも国際社会が「サステイナビリティ」[3)]を提起せざるをえなかったのは、1972年にローマクラブが地球環境と資源の有限性を世界に訴え、物質的繁栄を目指す高度大衆消費社会の限界を示したからに他なりません。あくまで一文化圏にすぎない西欧型社会システムの普遍化が、地理的条件や自然環境、歴史、風土の多様な地域において、必ずしも人間と自然の関係を持続可能なものにするとは限らず、逆にそこに暮らす人々の生存基盤を危機的状況に陥れているのではないか。むしろ「後進的」と捉えられてきた多様な生活文化を見つめ直す必要があるのではないか、と考えました。

## 2．3.11が露呈した日本社会の構造的矛盾

その10年後となった2011年3月11日、東日本大震災とそれに伴う東京電力福島第一原発事故は、いみじくも戦後先進国の仲間入りを果たした日本において、原子力文明が崩壊するという未曽有の大災害となりました。私の住む宮城県はかつてない規模の地震・津波被害の犠牲者を生み、一次産業やくらしの基盤が根こそぎ破壊されるという経験に加え、原発事故によって拡散された放射性物質の影響も重なりました。天災と人災の複合災害となった東日本大震災は、近代科学技術そのものに潜む危機を露呈したばかりではなく、その後「文明災」[4)]や「構造災」[5)]と形容されたように、戦後の日本が築きあげてきた、破局的リスクを内包せざるをえない社会のあり方への根本からの問いを突き付けました。

もっとも日本で原発が推進されるようになったのは、1970年代のオイルショック以後、「環境にやさしい」キャンペーンによって、国際政治の舞台で議論され始めた資源の限界や温暖化問題を乗り越える可能性が示唆されながら、日本型の「豊かさ」構想の支柱に据えられたからです。それは国内の都市と地方の格差を利用し、地方社会が経済的便宜と引き換えに生存に関わるリスクを請け負い、中央集権的な巨大エネルギーに依拠した都市文明を支えるというものでした。首都圏へのエネルギー・食糧・労働力の供給基地として位置付けられた東北は、一次産業の低迷、過疎化による地域の衰退を余儀なくされていきます。震災で甚大な津波被害に見舞われた沿岸部の多くは、まさしくこうした地域でした。その背景には原爆被害による反核感情を核の「平和利用」へとふりむけていった戦後政治の画策があったことは言うまでもありません。

私は震災時非常勤職だったこともあり、被災地に身を置き研究と市民的活動に関わる中で、これまでの自分の研究や問題関心を当事者性のもとに捉え直す機会を得ました。そして「生活世界の破壊」としてもたらされた現実を踏まえ、将来に向けた社会のあり方を、サステイナビリティを軸に根本から問い直す必要があることを痛感しました。

## 3．「復興」とは何か、それを誰が語るのか

ところが3.11後1か月足らずで掲げられた「復興」は、「日本経済の再生なくして復興はない」と、成長戦略として描かれていきます。「がんばろう、日本」「絆」など国民意識を鼓舞するスローガンが溢れ、財界からは「痛みの分かち合い」としてのがれきの広域処理や、「復興」のための原発再稼働までもが矢継ぎ早に提案されました。時限付きの巨額の復興資金のもと、「単なる現状回復ではなく、復興を契機に地域の課題を解決し、『新しい東北』を創造する」ために、震災をビジネスチャンスと捉える風潮が支配的になりました。

こうした状況下に身を置き感じてきたのは、現実に展開された「復興」が、戦後日本の開発史を大きく2つの点で塗り替えるものになったということです。1つは、「トモダチ作戦」に始まり、日米合作のショックドクトリン（惨事便乗型資本主義）[6)]としての側面をもつ「創造的復興」構想、そして原発事故後の対応方針に至るまで、従来の日米関係に依拠しつつそれを大きく更新するものになったということです。

もう1つは、戦後日本の経済成長を支えてきた国家主導型開発と利益誘導政治が踏襲されたことに加え、新自由主義的手法を用いた構造改革によって、中央目線での被災地の再編が試みられたことです。具体的には、防潮堤建設やかさあげ工事に代表される大型公共事業はじめ、震災前から財界が要求してきた農地の大規模集約化、特区制度の活用などです。バブル崩壊後からリーマンショックを経て、日本経済の停滞期に実現し残してきた構造改革に再び着手し、より国際競争力の高いグローバル国家を目指すというものでした。ところがこうした経済復興への傾斜が、被災者の生活再建に必ずしも結びつかず、住民の暮らしや生業の再生は後景化し、今も多くの課題を残しています。

さらに成長戦略として「復興」が描かれることは、もう一方で大きな問題を抱え込んでいます。それは原発事故後の対応において、経済再生シナリオと放射線被害の矮小化が表裏一体となって進行してきたことです。

その中で、私は以下の2つの課題について、現在取り組んできています。1つ目は、「福島の問題」への焦点化と線引きがもたらす被害の矮小化の問題です。言うまでもなく放射性物質は県境を超えて拡散されていますが、当初の汚染実態把握から除染等の対応、そして健康調査や賠償に至っても、福島県内外で対応が大きく異なる状況が生まれました。宮城県南部は福島県内と

同程度の汚染状況の地域があるにもかかわらず、県境を利用して被害が「なかったこと」にされつつある地域で、同様の状況下にある福島隣接県との共同研究を進めてきています[7)]。また福島県内の避難区域の線引きの再編や避難指示解除は、一見復興が進んだかのように捉えられがちですが、それに伴う支援の打ち切りや、原発事故によって強いられた選択が自己責任化されていく過程でもあり、実態としては被害を見えにくくする側面を持っています。

2つ目は、原発事故後の対応が、「復興」の文脈で語られ、国民全体の課題に置き換えられていくことによって、国策の「加害責任」が曖昧化される問題です。原発事故は、核の「平和利用」の虚構性を突きつけたにも関わらず、それを推進してきた国と事業者の加害者性が覆い隠され、それを「乗り越える」という「復興」が描かれます。「すみやかな復興」が求められる社会状況の中で、今なお継続する被害を背負う人々は被害を語りにくくなり、その存在が不可視化されていきます。こうした「復興」のもとで、核や放射能に関する言説が「どう語りなおされたのか」について検証しつつ、「生存の場」にもたらされた被害に対して、人々はどう向き合い抗ってきているのかを市民的立場から記録に残す[8)]、という課題に取り組んできています。

## 4．グローバル社会が共有しつつある生存基盤の危機

2021年3月で震災から10年の節目を迎える「復興」は今、「原発事故を乗り越えた日本」という「国家の物語」の構築にむかっていると言えます。

この間、国の描く「創造的復興」に対して「人間の復興」が提起されてきている日本の現状は、1980年代以降の新自由主義的開発のもとで、途上国社会からの「人間の顔をした開発を」との声をうけて「人間開発」「人間の安全保障」が提起されてきた状況と類似しています。国家的課題の克服としての「開発」「復興」が、国家統治と資本の論理のもとに描かれ、そこに暮らす人々の生命と尊厳を置き去りにしていく状況を映し出していると、私は考えています。

今日、グローバル社会を危機に陥れているコロナウィルスの世界的流行も、そもそも人類史を振り返れば、開発による野生動物の生息域の破壊に起因しており、都市の人口過密化、グローバル化による全地球的移動の加速化が、局地的に発生したリスクを全地球規模に広めた側面を持っています。世界各地で頻発する台風災害や大規模な水害、山火事などの背景にある気候変

動が危機的段階にあることからも、スローガンとして掲げられた「サステイナビリティ」を、現体制維持の隠れ蓑にしきれない状況に、今のグローバル社会は直面しつつあります。

このように私自身の立ち位置から自分の研究と社会状況を振り返ってみたとき、私にとっての国際文化学は、「国家を相対化しながら、生活世界とグローバル社会を往還するための視座」であったのではないかと気づきます。地球資源の有限性のもと、自然と人間の関係のあり方を文化的多様性の中で再発見し、単一的な社会発展様式のあり方をどう再考し組み換えていけるか。足元で起きていることをグローバルイシューの中に位置付けて捉え、またグローバル社会で起きていることを、生存の場に軸足を置いて再考していく研究活動を、今後も続けていきたいと考えています。

〔注〕

1）鴫原敦子（2004）「『貧困』と『持続可能な開発』に関する一考察」『インターカルチュラル２―グローバリゼーションと文化』アカデミア出版会、103-130ページ。
2）平野健一郎（2003）「国際文化学への期待」『インターカルチュラル１創刊号』7ページ。
3）ブルントラント委員会が1987年に公表した報告書の中心的な考え方で、1992年の地球サミットにおいて「持続可能な開発（Sustainable Development）」というスローガンのもと広く世界に認知された概念。
4）東洋経済オンライン「梅原猛・哲学者―原発事故は『文明災』」2011年4月5日。
5）松本三和夫（2012）『構造災―科学技術社会に潜む危機』岩波書店。
6）平野健（2012）「CSISと震災復興構想―日本版ショック・ドクトリンの構図」『現代思想』Vol. 40-4、152-162ページ。
7）科研費（17K12632）基盤研究（C）「福島近隣地域における地域再生と市民活動―宮城・茨城・栃木の相互比較研究」（研究代表：鴫原敦子）。
8）「市民の記録」編集委員会（2020）『3.11　みんなのきろく　みやぎのきろく』（高木仁三郎市民科学基金2019年度助成研究）。

# 東アジアにおける人の移動と言語

趙　貴花
*Guihua ZHAO*
●名古屋商科大学商学部専任講師
（教育人類学、アジア研究、言語教育）

現代社会の変化は人の移動に如実に現れている。グローバリゼーションの流れの中で、人びとの国境を越える移動は急速に増加している。特に、日中韓を中心とする東アジア地域は、1978年の中国の改革・開放政策、1980年代の日本の経済成長による外国人労働者の受け入れと「留学生10万人計画」、1989年の韓国の海外旅行自由化などの諸政策により、域内および域外への人の移動が活発化している。さらに、近年は国家間の高度専門人材の争奪戦や少子高齢化による外国人労働者の受け入れの拡大が進行し、「中国人の爆買い」に象徴される国境を越える消費行動や韓国のポピュラー音楽の熱狂的なファンたちの国境を越える文化活動、そして新しいライフスタイルやより良い教育を求めての国際移動など、人びとの移動はますます多様化し、日常化しつつある。

## 東アジアと朝鮮族の移動

中国では1978年に改革・開放政策を実施して以来、国内における市場経済と都市化が急速に進行する中で、人びとが農村から都市へ、小都市から大都市へ、さらに新たな機会を求めて海外へと移動している。その中でも、近年注目されているのが中国の少数民族としての朝鮮族の人びとである。彼らは、歴史的に自然災害や植民地支配などにより朝鮮半島から中国に渡ってきた人びとあるいは彼らの子孫であり、中華人民共和国の成立後に中国の国籍を与えられ、中国の国民になった人びとである。中国の改革・開放政策と中韓国交正常化（1992年）により、彼らはこれまで集住している中国東北部を離れて中国の沿海都市、そして韓国、ロシア、日本、アメリカ、イギリス、ドイツ、オーストラリアなどを含めた幅広い地域へと活躍の場を広げている。中国国家統計局の人口統計を見ると、朝鮮族人口は2000年の約192万人から2010年には約183万人へと減少しているのが分かる。朝鮮族の海外への移動先として移動人数が一番多いのが韓国である。韓国法務部出入国政策本部2019年12月統計月報によれば、2019年12月31日現在、韓国に滞在（短期滞在及び長期滞在）している朝鮮族は約701,098人に達している。中国の改革・開放以降、朝鮮族の大移動が起きている。

朝鮮族の人びとが中国の他のエスニック・グループや漢族と比較しても、突出しているのは、彼らの二重・三重の言語能力のためである。彼らのこのような多言語能力は、後述する中国東北部の朝鮮族学校で受けた二言語・三言語教育によるものである。しかし、朝鮮族の若年層の中国内外における活発な移動は、彼らの移動地における経済的・文化的な活動を推進する一方、中国東北部における従来の村を中心とするコミュニティの過疎化、高齢化、朝鮮族学校の廃校という現象をもたらし、1990年代後半から「朝鮮族危機論」が登場するようになった。こうした現象に対して、修士課程の勉強をしていた筆者は中国東北部の朝鮮族の教育現場では何が起きているのかを明らかにするために、2005年に中国東北部におけるフィールドワークを行った。具体的には、ハルビン市と延吉市の公立の朝鮮族高等学校を訪れ、学校において参与観察と教員、生徒、保護者たちへのインタビューを行った。そして、その調査研究の結果をまとめて発表したのが、2009年に本学会で第1回研究奨励賞（現平野健一郎賞）を受賞した論文「グローバル化時代の少数民族教育の実態とその変容：中国朝鮮族の事例」である。

従来は、朝鮮族学校での中国語および朝鮮語の二言語教育が、中国への国民的帰属意識の醸成と朝鮮族としてのエスニック・アイデンティティの継承とに寄与してきたことが指摘されてきたが、この論文では改革・開放以降には新たに、学校そのものが非朝鮮族にも開放されることで、漢族の生徒にとっての朝鮮／韓国語教育や、韓国人の生徒にとっての漢語教育のための言語教育機関としての機能を併せ持つようになった経緯を明らかにした。そして、少数民族学校における多言語教育が、改革開放という政治経済的状況の変化によって、一方で国内外の移動の自由を獲得した卒業生たちの活動の場が東アジア一帯に広がることとなり、同時に、少数民族学校が門戸を開放することで、東アジアの国際関係の動向に対応する方向を獲得したことを示した。

このような多言語教育を受けた朝鮮族の人びとが、中国東北部を離れて、どこに移動し、移動先でどんな生活を送っているのか、移動によって彼らのアイデンティティがどのように変化し、次世代の教育についてどのように考えているのかについて強い関心を持っていた筆者は、朝鮮族の主体的な移動の実態を鮮明に描き出すために、文化人類学の研究調査方法を用いて、朝鮮族の移動の軌道に沿って、彼らの主要な移動先である北京、ソウル、東京といった中国の国内外の複数の地域において数年間フィールドワークを行った。その調査研究の成果をまとめて発表したのが2013年に博士号を取得した博士論文で、マルチサイテッド・エスノグラフィー(multi-sited ethnography)の「移動する人びとの教育と言語：中国朝鮮族に関するエスノグラフィー」であり、2016年に同名の書籍を三元社より出版した。同書は、20世紀末の中国の改革・開放政策以降の流れの中で、中国朝鮮族というエスニック・グループに属する人びとに焦点を当て、彼らの移動と移動先での定住の実態、そして次世代の子どもの教育に与える影響を明らかにした。朝鮮族の人びとが、その移動の先々で、言語的、文化的に構築し、再構築するアイデンティティの根底には、中国の朝鮮族学校の多言語教育が重要な役割を果たしていることが明らかであり、彼らは国内外での移動経験の中で自分たちの言語資本の有用さに目覚めていく。将来のさらなる移動の可能性も含めて、長期的な視野から子どもたちが激動する国際社会を生きるための一つの方法として、また故郷に残した家族や親族との恒常的な関係を維持するためにも、自分たちの有したような言語資本を積極的に次世代へ継承させようとして幾多の努力を重ねていることを示した。

## 日中間を行き来する子どもたち

近年、日本に留学した外国人、そしてその留学を終えた後の彼らの動向に関心が寄せられている。中国朝鮮族も、日本への留学を始めてからすでに約40年が経過しようとしている。朝鮮族の日本留学が現在も継続的に行われる中、留学を終えた後に日本に定住する者もいれば、中国への帰国や韓国への移動、さらにはほかの国へ移動する者もいる。そして、彼らの移動は一方向的なものでなく、流動的であり、次世代にも影響を与えるものである。筆者は、日本と中国を行き来する元日本留学生の朝鮮族と彼らの子どもたちの文化間・教育間の移動の実態を明らかにするために上海、東京、名古屋においてフィールドワークを行った。そして現地調査で得た具体的な事例をもとに考察を行った結果、高学歴朝鮮族の人びとで、中国の高等教育機関で教育を受け、さらに日本の大学で学位を取得した者はその後に職を得て、日本・中国間を行き来する場合が多く、子どもを含めての家族単位での移動が一つの特徴として見られた。また、複数の言語能力（中国語・朝鮮語・日本語あるいは英語）を持つ朝鮮族の国際移動に際して親たちの目論見と、親の移動に伴い別の地域へと足を踏み入れて転校を経験する子どもたちの現状との間には大きな齟齬が生じていることが観察された。子どもたちが異なる言語環境と異なる教育システムに移行する際に、直面する障壁は大きいものであり、さまざまなリスクは子どもたち個人で背負うことが多い。

中国の朝鮮族学校で多言語教育を受けた朝鮮族は、東アジアにおいてダイナミックな移動を行い、子どもにも多様な言語を習得させせようとさまざまな機会を与えようとしている。しかし、日本で育った子どもたちは日本語しか話せないことがしばしば認められる。近代社会における公教育が原則として国民国家による国民教育であることを考えれば、これは当然の帰結であると言えよう。複数言語という有利さをもって、中国・韓国・日本間を移動する朝鮮族の人びとが、次世代の言語教育戦略において各地で直面しているさまざまの好条件や障壁を明らかにすることは、移動する人びととその子どもたちだけの問題ではなく、それぞれの地域における子どもたちの教育環境を比較し可視化する試みでもある。

人の移動をめぐる問題は、これまで政治学、経済学、歴史学的な視点から捉えることが多かったが、人の移動がますます多様化する今日においては人類学、社会学、教育学、心理学、言語学など多様な側面からの検討を要し、「当事者研究」の視点からの検討が求められている。移動する人びとを政治的、経済的な制約による受動的な存在として捉えるのではなく、自主的なアクターとして捉える場合、彼らの移動のパターンや移動先の人びととの関係性および文化の創造への見方も異なってくる。

歴史問題で国家間の対話が難航する東アジアにおいて、個々人による文化間の交流や受容はさまざまな形で活発に行われている。さらに、移民の増加により多様性が増していく東アジア地域において、域内の諸言語を駆使する朝鮮族の人びとの移動の実態と彼らの考えや文化創造を反映し、彼らの国境を越えるネットワークの構築と国家との付き合い方を理解することは、東アジアの将来を考える上で重要な手がかりを提供するものと考えられる。

変化の激しい今日、情報通信技術の進化とともにデジタルネイティブ世代の世界中での登場により、新しい価値観、新しいライフスタイル、新しいコミュニケーションの仕方と異文化への接し方が顕在化しつつある。このような時代的な背景のもとで、文化と文化の「際」に生じる文化的な事象を解明する国際文化学においては、多様な異なる分野の視点からの探求と実践的な研究がさらに求められている。日本国際文化学会は、まさに文化に関わるさまざまな学問分野から文化と文化の関係について自由に議論し、文化の変容のメカニズムについて検討する場であると考える。

# 国際文化学を生きるために

山脇千賀子
*Chikako YAMAWAKI*
●元文教大学教員



私にとっての国際文化学の魅力は、端的に言えば〈開放系の学際的研究かつ実践〉であることだ。それは、日本国際文化学会というコミュニティの魅力にも共通している。私は、2017年度をもって専任の大学教員としての職を辞したが、それは〈開放系の学際的研究かつ実践〉を一生涯にわたって続けるための戦略としての選択だった。

現在は、日本でだからこそ学ぶことのできる〈開放系の医療〉である鍼灸学／鍼灸医療の世界への登竜門である専門学校生として3年目を迎えている。

世界の〈伝統医療〉を〈開放系の医療〉と表現したのは、鍼灸ジャーナリスト＝『黄帝内経』研究家として日本鍼灸界を鼓舞してきた松田博公氏である（松田2010）。現在となっては地球上のどこでも主流派となっている現代医療が〈閉鎖系の医療〉であるのと対比的に形容したのである。

松田氏の説明を引用しよう。「〈閉鎖系の医療〉においては、個人は皮膚に閉じ込められた孤立した袋であり、そのように想定した生物学的な身体に向けて技術的な医療を施」す（同上：96）。その治療法は、「エビデンスによって限定され、薬や医療機器など産業的利害が絡んで排他的」である（同上）。それに対して、「〈開放系の医療〉においては、個人は他者や地域、共同体、自然、宇宙に開かれ、交流し感応するスピリチュアルで関係的な存在です。健康も病も、そして癒しも、相互依存的な関係の場のドラマとして訪れます。患者が生きる生命の場の、網目のような諸関係を調整し、生きる意欲や魂のレベルを引き上げておのずからなる癒しが訪れるように配慮するのが、〈開放系の医療としての伝統医療〉なのです」（同上）。だから、「自然治癒力の賦活を根幹におく〈開放系の医療〉では、治療法は無限にあり」（同上）、「〈伝統医療としての古代鍼灸〉は〈開放系の医療〉の一つのかたち」ということになる（同上：97）。

ここで、〈伝統医療としての古代鍼灸〉とされているものは、古代中国において体系化が始まり現代まで『黄帝内経』に代表される医学書によって伝えられている鍼灸医療である。『黄帝内経』とはどのように成立して伝わってきたのかを説明する紙幅は本稿にはない[1)]。本稿で問題にしたいのは、現在世界において実践され研究されている鍼灸の基礎には、今の時代にも通じる宇宙観・思想があるということ。さらに、鍼灸医療が臨床的な効果を挙げるために、実践されている世界のあらゆる地域と時代において独自な発展を遂げ続けているダイナミックな〈開放系医療〉であるということだ。

古代中国に体系化された鍼灸医療が誕生した理由は、「一切の存在は気でできているという認識であり、だから相互に感応するという信仰であり、やがて天人合一思想として図式化される世界観であり、茫洋とした気の思想を、複雑でダイナミックなまま操作できるものにした気の科学としての陰陽論、五行論」だと分析できるだろう(松田2010：96)。

そして、古代鍼灸のシステムは、人体の構造と機能、天地の構造と機能を、数術をもって合致させる壮大な宇宙論的図式によって成り立つ、単なる治療技術の体系ではなく、ぎりぎりまで理性化された信仰的な体系でもあった(松田2010：97)。

重要なのは、こうした知的背景をもって、鍼灸医療を「気」という近代科学が明らかにできなかった神秘的宇宙観による「呪術的医療」と位置付けようとする〈閉鎖系の医療〉の排他的発想に気づくことだ。むしろ、「気」という概念は、今後ますます重要性を獲得していくだろう量子力学的世界観との親和性が高いことに注目すべきだろう[2)]。

同時に、日本で継承されている漢方・鍼灸医療が、いかにハイブリッドな思想的背景を持つのかを分析してみることで、伝統医療を通じて洋の東西を問わない対話が可能になる土台を共有していることに気づくことができるだろう。

既述の松田によれば、「日本鍼灸の思想を考察する際に、中国と日本との関係に限定しているだけでは解けない謎がある」と「同時に、日本鍼灸の未来が、欧米で復権している〈ヒポクラテス的自然主義医療〉の未来と底辺でつながっていることを予感させる」(松田2010：67)。「鍼灸医療になおも息づいている自然治癒力思想の源泉は、東洋医学のオリジナルな思想でもないし、」江戸中期に蘭学を通じて受け入れられた「西洋のヒポクラテス医学の単純な輸入でもない」「東西融合の日本的自然治癒力観というべきもの」である(松田2010：86)。

「自然治癒力思想は、（1）病気は、あってはならない否定的な現象ではなく、治療のために欠かせない過程であり、それを通過して健康に至る肯定的な現象である、（2）治癒力は普段の生活の中で、生を養う（養生）ことによって保たれるもので、生活が主、医療は従である、というだけにとどまらず、さらに（3）医療の主体は病み苦しんでいる患者であり、医師や鍼灸家は補助者、支援者である、（4）治療に際しても、治癒力の働きを阻害せず、支援する技術を投入すべきであり、過剰な技術的介入をするべきではない、ということをおのずから教えてい」る（同上：67-8）。

松田が手厳しく批判している現代社会における私たちと医学の関係性を見直すことは、ウイズコロナ時代を生き抜かなければならない万人にとっての緊急な課題ではないだろうか。「抗生物質と外科手術の発達をきっかけに傲慢の度合いを増した西洋医学が、医学の教科書から自然治癒力という言葉を追放したとき、自らを癒す能動的な主体としての患者も追放された」。「いまやわたしたちは、グローバル化する医療産業に従属する受け身の消費者としての〈患者様〉です。けれど、どんな薬剤も手術も、自然治癒力とともに働かなければ効果を発揮できないのです。医療産業は、わたしたちの内なる自然治癒力に寄生して営利を営んでいるのです。

政治、経済、社会、文化などあらゆるシステムが、地球大に膨れあがり、人間一人ひとりの存在は、ますます小さくなっています。自信を失ったわたしたちは、システムへの依存を強めています。医療崩壊も、産業と結びついた医療制度がわたしたちのからだ自治能力を奪い、過剰に依存させることに成功した結果起きたシステムの自己破綻です。わたしたちが、自分のからだを信じ、そこに内在する力によってからだを立て直していくなら、自分のからだだけではなく、社会全体のいのちがよみがえるでしょう」（同上：81-2）。

日本ではあまり一般的に認知されていないが、〈開放系の医療としての伝統医療〉は、今、世界的に復権の傾向にある。私が研究者として関わってきたラテンアメリカ諸国においても21世紀突入前後に伝統医療を保護するための法整備が急速に拡大した。1990年代を通して、多様な社会・文化・経済的背景をもつ国民を多文化主義的政策のもとに統合していくことを多くのラテンアメリカ諸国が憲法に盛り込んできた流れに沿ったものである。国際的な背景としては1990年代から欧米諸国において、従来の臓器別治療の限界を乗り越えるための包括的・全体的身体観に基づく医療への転換を目指す動きの一環として、補完・代替医療（Comprehensive and Alternative

Medicine）への期待が高まっていたという社会事情がある。つまり、近代科学的な世界観に基づいて、「原始的」「呪術的」な医療として退けられてきた〈伝統医療〉が持つ人間・身体に対する総体的・全体的アプローチの有効性が再評価されているのである。

こうした世界的な潮流に乗るかたちで、鍼灸医療を含めた〈東アジア伝統医療〉を国家資源としてアピールしてきているのが、中国であり韓国だ。2009年ユネスコの世界記録遺産として朝鮮のホジュン著『東医宝鑑』（1611年）が登録された[3]。中国も韓国も国家レベルで中医学・韓医学を専攻する西洋医学とは別系統の専門医として養成する高等教育機関を持ち、海外からの留学生を広く受け入れている。近年のラテンアメリカ諸国でも、中国・韓国の教育機関と連携した鍼灸学校の創設が相次いでいる。

ラテンアメリカ地域において、唯一の日本鍼灸普及拠点となっているのが、日本ニカラグア東洋医学大学（2004年創設）である。5年制大学で、卒業生は「東洋自然医学士」として病院・保健所などで活躍している。実は、この学士名が正に〈伝統医療〉が世界においてどのように位置づけられているのを体現しているのかもしれない。

私たちが意識するべきなのは、それぞれの〈伝統医療〉の発祥の地がどこなのかではなく、〈開放系の医療としての伝統医療〉がお互いに影響を及ぼしあいながら人々の生命・生活を支えるために役立ってきているという事実のほうではないか。だからこそ、今、私は〈開放系としての国際文化学〉の研究・実践を〈伝統医療〉を通じて行っていきたいと考える。『被抑圧者の教育学』を書いたP.フレイレや管理社会批判をしてきたイヴァン・イリイチの思想が社会運動として結実してきた歴史と風土をもつラテンアメリカの人々と〈開放系の伝統医療〉を通じて社会をダイナミックに再編していく可能性に心躍らせている。

**【参考文献】**


アル＝カリーリ，ジム＆ジョンジョー・マクファデン2014=2017『量子力学で生命の謎を解く』（水谷淳訳）SBクリエイティブ．

木戸正雄2009『天・地・人　治療―鍼灸医術の根本的治療システム―』医歯薬出版．

佐合昌美2008『よくわかる黄帝内経の基本としくみ』秀和システム．

松田博公2010『日本鍼灸へのまなざし』ヒューマンワールド．


**【注】**

1）興味のある方にとっての優れた入門書としては、（佐合2008）を参照されたい。

2）生物学における量子力学からのアプローチは始まったばかりだが、今後の発展が期待される（アル＝カリーリ＆マクファデン2014=2017）。（木戸2009）では、木戸自身が研究・開発してきた鍼灸医術について、現代物理学における「ひも理論」等の成果を媒介することによって理解する方向性が指摘されている。

3）韓国による『東医宝鑑』の世界遺産登録をめぐっては、亡失したものを含む中国明代の医書の引用で成り立つことは伏せられたまま『東医宝鑑』の「歴史的真正性、世界史的重要性、独創性、記録情報の重要性、関連人物の業績および文化的影響力など」が全面にアピールされたことは、東アジア伝統医療関係者の間では大きな議論を呼んだ（松田2010：50）。根本的に私たちが大事にしていくべき〈開放系の医療〉としての特質が、政治的な道具として使われてしまう危険性があることを教えてくれる典型例といえよう。その後、2010年には中国が「中国鍼灸」をユネスコ無形文化遺産として登録している。日本において、こうした東アジアにおける伝統医療再評価の流れを感じ取ることが難しい状況であることは何を意味するのか。国際文化学の視点から興味深い論点と考える。

# 「触変」の条件

土屋明広
Akihiro TSUCHIYA
●金沢大学人間社会研究域准教授
（法社会学）

## はじめに

「孤絶の歴史意識」。およそ10年前に執筆された拙稿（2011）は[1]、加害の歴史（侵略戦争・植民地主義）と被害者の存在を忘却したままに戦後を生きる「日本人」の「他者との共生・共存を峻拒する精神構造」（尹1990：208頁）を言い表したこの言葉を、「非日本人」への差別・抑圧を許容し続けている現在の意識に敷衍することから書き始めている。他者に内在する歴史性と現在性への意識を欠如させた「日本人」の「孤絶性」は、「日本人」と「非日本人」の間に断絶を作り出し、前者（マジョリティ）の後者（マイノリティ）に対する優位性・差別性を固定化させ続けている、と。拙稿では両者の断絶を乗り越える可能性を、マイノリティが被差別体験を語ったときに生じるマジョリティの「沈黙」に見出していた。思うに歴史性と現在性を帯びた被害者の体験語りは、聞き手の安易な理解や共感、同情を峻拒するものであろう。それ故に応答できないこと、つまり「沈黙」は被害者の苦しみや悲しみをそのままに受け止めたマジョリティの葛藤や逡巡を意味する表現行為であり、両者の断絶を乗り越える契機、現時点での言い換えが許されるならば、両者の出会いによるマジョリティの「触変」を誘発する契機になり得ると執筆当時は考えたと思われる（cf. 平野2000：第4章）。

しかしながら、今の日本社会（の一部）は「出会い」そのものの拒絶へと突き進んでいるように見える。そこで本稿においては、受賞後の研究活動（ヘイト・スピーチ、花岡和解）を軸にして[2]、マジョリティ・加害者とマイノリティ・被害者とが出会い、「触変」を創出させる条件について検討してみたい。

## 1．ヘイト・スピーチ――生の否定[3)]

ヘイト・スピーチは「人種、民族、国籍、性などの属性を有するマイノリティの個人・集団に対し、その属性を理由とする差別的表現」(師岡2013：48頁）と定義されるように、特定の属性をもつ人々を対象に行われる差別的表現行為である[4)]。加えてヘイト・スピーチは、マジョリティが自らスティグマ化させた特定の属性を本質化してマイノリティに押し付ける行為でもある。たとえば「民族」属性は―バリバール（1990=2014）が論じているように―国民国家成立時に「われわれ」と「われわれではないもの」とを区別するために創出された道具的な属性概念である。しかし、マジョリティによるヘイト・スピーチは、特定の「民族」属性に「負」の性質を纏わせて、特定のマイノリティに固着させる行為だと考えられる。このとき、マジョリティは宣告者として立ち現われ、自らの立ち位置が問われることはない[5)]。

さらに日本社会において2000年代に入って顕著になった在日朝鮮・韓国人へのヘイト・スピーチは、上記に留まらない機能を内在させている。当該ヘイト・スピーチは「在日」属性をもつ個人・集団の人格を貶めるとともに、「『在日』には『特権』があり『日本人』の方が被害者だ！」などと叫ぶことで、加害者－被害者関係を転倒させて「日本人（国家）」が行なってきた加害行為を過去に遡及して無効化させるように機能するのである。このようなヘイト・スピーチは、帝国主義・植民地主義時代から打ち続く在日朝鮮・韓国人たちの歴史性と現在性を否定する表現行為、換言すれば、過去から続く生き方を否定する表現行為だと考えられる。

## 2．花岡事件と花岡和解――生を取り戻す条件[6)]

第二次世界大戦中、大日本帝国は慢性的に不足する国内労働力を外地から補填するようになる。強制連行された中国人は約4万人で、主に鉱山、工事現場、港湾等で使役に服し、劣悪な労働・生活環境のなかで7千人弱が死亡した（死亡率約17.5％）。「花岡事件」とは、戦争末期に鹿島組（後の鹿島建設）花岡出張所（旧秋田県北秋田郡花岡町・現大館市）において過酷な強制労働と虐待（死亡率42.3%、全国6位）を受けていた中国人労働者（労工）たちが、蜂起を決行するも鎮圧され、拷問によって100名以上が死亡した事件である（cf. 瑞慶山2014）。その約40年後、元労工と遺族たち（以下、元労工ら）は鹿島建設と交渉を開始し、「東アジアにおける歴史和解の基本的モデル」（李2011：356-356頁）と称される「花岡和解」を成立させる。和解には鹿島建設の謝罪、慰霊や元労工らの自立等の資金に充てる信託金5億円を鹿島建設が供出すること等が盛り込まれていた。

しかし、花岡和解は成立直後から一部の元労工らから痛烈な批判を受けることになる[7)]。その直截的な原因は、鹿島建設の責任を否認するような文言が和解条項（「法的責任を認める趣旨のものではない旨主張」）と、和解成立当日に発表された鹿島建設コメント（「当社に法的責任はない」「本基金の拠出は、補償や賠償の性格を含むものではありません」）にあったためとされているが、この和解条項と企業コメントが元労工らに齎した意味も重要である。岡野（2012）の議論を参照すれば、加害者による加害事実の認知は、虐待や死への恐怖によって尊厳を深く傷つけられた被害者が自らの悲遇の原因を理解し一旦切り離された世界＝生を取戻すために必要不可欠な要素だとされる。換言すれば、加害者の加害認知があって初めて被害者は自らの生を生き直すことができるようになるのである。つまり、元労工らの和解批判の根底には加害事実を否認することで、自分たちの「生の取戻し」を阻む加害企業への許し難い憤りがあったと考えられるのである。

## 3.「触変」の条件とは

以上、受賞後に取り組んだ二つの研究を簡単に振り返ったが、本稿の課題―「触変」の条件の析出―に答えることは難しい。しかしながら、「触変」を阻害する要因の一つを明らかにできたように思われる。それはマイノリティ・被害者への志向性の欠如である。ヘイト・スピーチは専横的に構築した属性を相手に押し付ける行為であり、花岡和解での被害者たちの怒りは自らの生への無配慮に起因するものであった。マイノリティ・被害者に特定のアイデンティティを押しつけ、それぞれが背負ってきた／背負わされてきた歴史性と現在性を剥奪しようとするマジョリティ・加害者の態度は、まるで他者に触れて変化すること、すなわち「触変」を頑なに拒絶しているかのように見える。

マジョリティの「触変」を促す条件とは何か。具体的な検討は他日を期すこととして試論的に述べれば、過去から現在へと続いてきた個人的／集合的な経験と記憶、感情を双方向的に共有すること、これが「触変」の条件になるのではないかと考えている。この着想は、ここまで言及できなかった研究テーマ「歴史教育プログラム」構築プロジェクトへの参加から得たものである。本プロジェクトは社会科教育の研究者が中心となり日中の研究者が協同して「自省的な歴史認識」を育成する教育プログラムの開発を目指すものである[8)]。日中間の相克を生み出している頑なな歴史認識を史・資料の読み解きや歴史の現場体験等（＝「過去の生きられた経験」との出会い）によって解きほぐし、「私たちの生を逆照射」（今野2010：219頁）する、このような自省的な歴史認識の育成は、経験・記憶・感情の共有を含み込むものであり、「触変」の条件になり得るのではないか。今後は共有の方法と効果について、さらにそもそも他者を志向しようとしない人たちに共有を促す方途はあり得るのか、という問いも併せてプロジェクトでの実践を通して追究していきたい。

**【参照文献】**

バリバール，エティエンヌ（1990＝2014）［若森章孝訳］「国民形態—歴史とイデオロギー」．バリバール，E. & ウォーラーステイン，I.［若森章孝他訳］『人種・国民・階級—「民族」という曖昧なアイデンティティ』唯学書房.
平野健一郎（2000）『国際文化論』東京大学出版会.
今野日出晴（2010）「歴史を綴るために」思想1036号.
師岡康子（2013）『ヘイト・スピーチとは何か』岩波新書.
岡野八代（2012）「修復的正義」志水紀代子・山下英愛編『シンポジウム記録「慰安婦」問題の解決に向けて』白澤社.
李恩民（2011）「市民運動と日中歴史和解」黒沢文貴、イアン・ニッシュ編『歴史と和解』東京大学出版会.
酒井直樹（2012）「レイシズム・スタディーズへの視座」鵜飼哲他『レイシズム・スタディーズ序説』以文社.
土屋明広（2018）「『ヘイト・スピーチ』で問われないもの」江口厚仁他編『境界線上の法／主体』ナカニシヤ出版.
————（2011）「断絶としての『在日／日本人』」インターカルチュラル 9号.
尹健次（1990）『孤絶の歴史意識』岩波書店.
瑞慶山茂（2014）「秋田・鹿島花岡 中国人強制労働訴訟」同編『法廷で裁かれる日本の戦争責任』高文研.

**【注】**

1）本拙稿が「第1回平野健一郎賞」受賞の栄に浴したことは望外の喜びであった。
2）筆者の専攻は法社会学であり、大学院進学以来、トラブルに遭遇した当事者のニーズに応答する紛争処理システムのあり方を主な研究テーマにしてきた。同時に、大学院時代に吉岡剛彦氏（現 佐賀大学）に誘われて朝鮮人学校を訪問する中で、日本社会における民族教育と現存する差別、その歴史的背景である大日本帝国の帝国主義・植民地主義政策に関心を抱くようになった。本稿で述べる研究は後者の流れに位置するが、当事者の視点から適切な解決方法を探求する点で前者の研究と軌を一にすると考えている。
3）拙稿（2018）において論じた。
4）ヘイト・スピーチ解消法（2016年成立）はヘイト・スピーチを「専ら本邦の域外にある国若しくは地域の出身である者又はその子孫であって適法に居住するもの（以下この条において「本邦外出身者」という。）に対する差別的意識を助長し又は誘発する目的で公然とその生命、身体、自由、名誉若しくは財産に危害を加える旨を告知し又は本邦外出身者を著しく侮辱するなど、本邦の域外にある国又は地域の出身であることを理由として、本邦外出身者を地域社会から排除することを煽動する不当な差別的言動」(第2条)と定義していることから、「出身地」をヘイト・スピーチの指標としていることが分かる。

5）酒井(2012)は、「排除される側は有徴〔異常－引用者〕として、排除する側は無徴〔正常－引用者〕として排除が行われるのが普通である」と述べている(21頁)。

6）日本国際文化学会第18回全国大会(2019、長崎大学)において報告した(「和解における謝罪と赦し―『花岡事件』についての考察」)。

7）元労工らの中心的人物であった耿諄氏のコメントは「私は、和解に断固反対し、金の受け取りを拒否することを誓う。このような『和解』は、私には無効である。」というものであった(「厳正に表明する」2003年3月14日「私の戦後処理を問う会」、山邉悠喜子・張宏波訳＜https://www.ne.jp/asahi/hanaoka/1119/koujun1r.html ＞最終閲覧2020.9.4.)。

8）JP18H01004「地域をつなぐ自省的な『歴史認識』形成のための実践的研究」(研究代表者：今野日出晴(岩手大学))。筆者の花岡和解研究は本プロジェクの一環として始めたものでもある。

# 〈ひと〉の視点と国際文化学

川村陶子
Yoko KAWAMURA
●成蹊大学教授
（国際関係論）



## 私にとっての国際文化学

大学院時代に国際関係研究（国際関係論）のトレーニングを受けた私にとって、国際文化学とは「文化の視点から取り組む国際関係研究」である。ここでいう文化の視点は〈ひと〉の視点とも言い換えられる。

「文化の視点＝〈ひと〉の視点から取り組む国際関係研究」を志した契機は、人生の多感な時期における二つの原体験にある。ひとつは、学部在学中にベルリンの壁が崩壊し、トランスナショナルなヒト・モノ・情報の移動が国際秩序を変容させる力に強い印象を受けたこと。もうひとつは、国際音楽祭への参加や留学などの経験を通じ、文化交流の活動が〈くに〉すなわち主権・国民国家をこえた〈ひと〉（個人、人間集団）のつながりを作り出せると実感したことである。〈くに〉をこえる現象や〈くに〉をこえたつながり構築の方策を、その基盤となる〈ひと〉のレベルから研究したい—その志は、研究を始めてから30年近くが経過した今も変わっていない。

私の研究の基盤には、多様な文化的背景を背負った〈ひと〉が、どのようにしたら〈くに〉をこえて、ともにより良く生きられる世界を実現できるかという問題意識がある。しかしながら、実際に取り組んでみた国際関係研究は、そうした課題を追究するツールとなるには多くの制約を内包しているように思われた。

国際関係研究は、近世から近代の西洋に起源をもつ主権・国民国家体制（国家を主要な構成単位とする国際社会）を第一義的対象としている。学問としては、20世紀の欧米を中心に、世界大戦や核戦争をいかに回避するかという問題関心を軸に発展した。しかし、現実の世界では、一方では主権・国民国家体制が非欧米地域を含む地球全体へと拡大し、他方ではインターナショナルだけでなくトランスナショナルやグローバルな次元における事象の重要性がさらに高まっている。このように展開していく世界を、国家中心、狭義の政治・軍事中心、西洋（先進国）中心の視点で研究していたのでは、こぼれ落ちてしまうものがあまりにも多いのではないか。〈ひと〉の視点から国際的な諸問題を分析し、国際関係のよりよい運営方法について考えるにはどうしたらよいのか。大学院で平野健一郎先生のご指導を受けながら考え、たどり着いたのが文化の視点、すなわち文化を研究の鍵概念として採用することであった。

なぜ文化を鍵概念とすることが〈ひと〉の視点たりうるのか。それは、人文学の幅広い知見や方法をとりいれることにより、国際関係研究がはらむ本質的な制約—分析単位における国家中心性、対象分野における軍事・政治中心性、学問構築における西洋中心性—を乗り越えられるのではないかと考えるからである。具体的なアプローチとしては、①国際関係をインターカルチュラルな関係としてとらえる、②文化を資源、手段ないし媒介とした国際関係の運営構築に注目する、の2つが有効である。成蹊大学文学部で2011年度から担当している科目「国際文化論」では、「文化でみる国際関係」、「文化でつくる・文化がつくる国際関係」という2つの切り口を設定し、それぞれに関連するイシューを検討している。

「文化でみる国際関係」「文化でつくる・文化がつくる国際関係」という2つの切り口から成る国際文化学のあり方は、言うまでもなく、平野先生が東京大学教養学部における講義「国際文化論」で展開され、2000年に同名のご著書（平野2000）で出版されたご議論に影響を受けている。『国際文化論』は、大前提として国際関係をインターカルチュラルな関係とみなしつつ、ある文化集団から別の文化集団へと特定の文化要素が伝播し受容される際に生じるメカニズムをアカルチュレーション（文化触変）のモデルで検討し、最後にその延長線上で現象・活動としての文化交流にも言及する、という構成をとっている。私の構想する国際文化学の枠組みに僭越にも当てはめさせていただくなら、「文化でみる国際関係」と「文化“が”つくる国際関係」にとくに重点をおくアプローチと位置づけられる。

## 『インターカルチュラル』投稿論文をふり返って

「文化でみる国際関係」と「文化でつくる・文化がつくる国際関係」という2つの切り口は、研究を始めた当初から明確だったわけではない。個人研究ではこれまで、ドイツや日本の対外文化政策（文化外交、文化交流政策）の分析に中心的に取り組み、「文化“で”つくる国際関係」をいかにしたらよりよく構築できるかという問いにフォーカスしてきた。しかしながら、日本国際文化学会に参加し、さまざまな学問領域や研究テーマにおけるインターカルチュラルな視点の有効性を実感するうち、「文化でみる国際関係」の研究に改めて関心を抱くようになった。

当時の世界では、「9・11」米国同時多発テロの衝撃も覚めやらぬ中、ヨーロッパの移民社会でホームグロウンテロが頻発していた。移民統合や多文化共生が国家安全保障の問題として認識され、対外的な文化交流政策にもインパクトを及ぼすようになった（川村2005）。そのような中、ハンティントンの「文明の衝突」論に対するアマルティア・センの反論（Sen 2006/2011、セン2009）を読み、異文化間関係の運営構築においてアイデンティティの複数性や文化の多次元性に注目することの重要性を実感した。

多様な文化を背負う〈ひと〉が〈くに〉をこえて移動し生活する今日、世界の平和と秩序を構想するには、異文化間関係の運営構築のあり方を〈ひと〉のレベルで考えることが大切ではないだろうか。このような問題意識に基づいて、それまで「文化でつくる国際関係」の観点から研究対象としてきたドイツをとらえなおし、同国の多文化社会を「文化でみる国際関係」が展開する場として分析してみたいと考えるに至った。〈くに〉と〈ひと〉のセキュリティをめぐる論考（川村2009）に続き、文化間対話の可能性を考察したのが『インターカルチュラル』第10号への投稿論文（川村2012）であった。

当該の投稿論文は、ドイツ連邦銀行理事のティロ・ザラツィンが2010年夏に出版した著書『自壊するドイツ（*Deutschland schafft sich ab*）』（Sarrazin 2010）が巻き起こした論争の分析である。同書は「少子化のもとで教育水準の低い移民が増大することにより、戦後ドイツの繁栄を支えてきた勤勉な国民という人的基盤が崩壊する」というテーゼを掲げ、ヘイトスピーチやマイノリティ批判がタブーとされてきたドイツで賛否両論を呼ぶベストセラーとなった。ザラツィンの議論は（1）移民統合、（2）表現の自由、（3）少子化と家族形態という3つの次元で「多様性との向き合い」を促していたが、実際に同書をめぐって起こった論争は（1）と（2）、とくに（1）を軸としていた。移民系知識人たちは、ザラツィンが移民へのステレオタイプ的見方を強化し社会の対立を煽っていると反発し、大統領に嘆願書を提出するなどしたが、そうした良心的行動もまた「移民対マジョリティ」という二項対立図式を強化する方向に働き、文化間対話の回路は閉ざされてしまった。

論文では、ザラツィン論争が、宗教や民族を軸とする二項対立的議論であった点でハンティントンの「文明の衝突」論と共通しており、ザラツィンを批判した人びともまた、本来それぞれ内的に多様であるはずの「移民」と「マジョリティ」という集団を本質化していたことを指摘した。その上で、「移民対マジョリティ」の対立を克服するには、むしろ当該の軸とは別次元の問題（たとえば(3)の少子化問題）について深く考え、意見を交わすことが重要ではないかと提起した。文化多様性がもたらす対立を乗り越える契機は「多様性の多次元性」を意識することにある、そうした思考が「より強靱なインターカルチュラリズム」にもつながると結論づけた。

10年近く前の文章を読み直すと赤面するばかりである。ドイツ語邦訳の粗さに加えてロジックでも甘さが目立つ。ジェンダーや家族と密接に関わる少子化問題に取り組む作業が、果たして「移民」と「マジョリティ」を架橋できるかは微妙だろう。だがそれでも、「ある次元で異なる集団に分類される〈ひと〉をつなぐには、別の次元での課題に注目し、多様性の多次元性を意識することが重要だ」という本論文の主張のコアは、今日も依然として有効だと考える。

本論文の発表後、ヨーロッパでは難民危機が排外主義的勢力を躍進させた。ドイツでは2017年以降、右翼政党AfD（ドイツのための選択肢）が議会で第3党を占めている。米国ではトランプ大統領の下で人種間の対立と社会の分断がすすみ、世界各所で権威主義政権が台頭している。社会的課題としての国民統合や共生はもとより、感染症対策のような越境的協力が必要とされるイシューさえもが、「われわれ対あいつら」という二項対立図式に単純化されて論じられる状況が続いている。

「分断」がキーワードとなってしまった現代世界において、一人ひとり異なる文化的背景をもつ個人の視点に立ち、多様性の多次元性をふまえた強靱なインターカルチュラリティの理論を構築する必要性は一層切実である。コロナ禍で人的な交流が制約されているが、そのような今だからこそ、「文化でみる国際関係」「文化でつくる・文化がつくる国際関係」を見つめなおし、世界における多様な〈ひと〉の関係構築のあり方を探究していきたい。

**【参考文献】**

川村陶子「『文明の衝突』と国際文化交流―ドイツの事例から」（成蹊大学文学部国際文化学科編『国際文化研究の現在』柏書房、2005年、第5章）。
川村陶子「ドイツ多文化社会とセキュリティ：テロ、暴力、スティグマ」（『成蹊大学文学部紀要』2009年、第44号、2009年3月、45-72頁）。
川村陶子「『移民国』ドイツを揺るがしたザラツィン論争―多様性の多次元性、文化間対話の可能性」（『インターカルチュラル』第10号、2012年3月、147-160頁）。

平野健一郎『国際文化論』東京大学出版会、2000年。
Thilo Sarrazin, *Deutschland schafft sich ab*, Deutsche Verlags-Anstalt, München 2010.
Amartya Sen, *Identity and Violence: the Illusion of Destiny*, Norton paperback 2007 (original 2006)(東郷えりか訳『アイデンティティと暴力—運命は幻想である』勁草書房、2011).
アマルティア・セン(佐藤仁訳)「文明は衝突するのか—問いを問い直す」(『グローバリゼーションと人間の安全保障』日本経団連出版、2009年、第3章)。

# 文化の境界を問う
## ——言語実践としての翻訳から考える国際文化学

坪井睦子
*Mutsuko TSUBOI*
●立教大学異文化コミュニケーション学部
兼任講師
(翻訳学)

人類の長い歴史の中で、人と人とが出会い、異なる文化と文化が接触するあらゆる時空で連綿と続けられてきた翻訳とは、いかなる人間の営為なのであろうか。翻訳と聞いて、多くの人がまず思い描くのは、異なる言葉を話す人々の間のコミュニケーションを媒介し、異なる文化同士を架橋するというイメージではなかろうか。架橋と言うからには、それぞれの文化の間には川など境界となるものがあることも想定されていよう。翻訳は文化間の境界を越えて、異なる言語間のコミュニケーション上の諸問題を解決し、異文化間の理解と交流を促し、人々が共に生きていく上で様々な可能性を拓くというまさに人間の文化的営みと言えるかもしれない。しかし、翻訳とはそのように常に異文化間に橋を架け、可能性を拓いてくれるものなのだろうか。また、橋を架けるという行為は、それがうまくいってもいかなくても互いの文化を、あるいは文化の境界を元のままにしておくものだろうか。

翻訳に対するこうした漠たる疑問が、筆者にとって問いという形となって現れるきっかけとなったのは、1989年のベルリンの壁崩壊、冷戦の終結、続いて世界各地で繰り広げられた地域紛争、民族紛争を伝える一連の国際ニュース報道であった。報道の内容に衝撃を受けつつも、筆者の感じたものはそれ以上に大きな違和感であった。その違和感は、報道という言語実践、さらに言えば報道に関わる翻訳という言語実践の問題に根差しているように思われた。メディア研究の領域では、1970年代から社会的構築物としてのニュースという視点から活発な議論が展開していた。しかし、国際ニュースのグローバルな流通と世界各地での受容に不可欠な言語実践、すなわち翻訳という視点からの議論はほとんどなかった。筆者の抱いた違和感は、次第に国際社会、国際関係の中で展開する翻訳に潜むイデオロギー性や権力性に対する問いへと形を変えていった。世界の不均衡な力関係の下で実践される翻訳は、文化の架橋という言葉から想像するよりはるかに複層的な行為であり、その行為にはときに文化間のコミュニケーションを阻害したり、文化の境界を作り、引き直し、強化したりして、対立や分断を引き起こす側面があるのではないかという問いである。

その問いに自ら答えを探る機会を得たのは、それから何年も経てからである。翻訳学（translation studies）[1)]と出会い、メディアに関わる翻訳、中でも紛争を伝える国際ニュース報道に関わる翻訳に焦点を当て、翻訳実践の多層性を探求する試行錯誤が始まった。しかし、翻訳学の枠組みの中でその目的を達成することは思いのほか困難に思われた。その主な理由として二つ挙げられよう。一つは、翻訳学において言語理論と文化理論の間に長く理論的乖離が横たわってきたこと、もう一つはどちらの理論においても複雑な国際関係との関連からの議論が十分展開していなかったことである。翻訳が言語を使った実践である限り、必ず特定の文化、社会、歴史的コンテクトで生起する。そうであるなら言語実践としての翻訳を探求するには、言語理論、文化理論の両視点ともに重要であり、両者をつなぐ研究の枠組みが不可欠と思われた。また、翻訳、とりわけ民族紛争に関する国際ニュース翻訳は、極めて政治的であると同時に文化的、社会的なものであり、国際社会の様々な文化的関係性の中に位置づけてこそ議論が深まる。この暗中模索の過程で出会ったのが、言語人類学[2)]と国際文化学である。前者は言語と文化をつなぐ理論的枠組みを、後者は「国際関係を文化で見る」（平野，2000，p. 1）視点を筆者にもたらした。

こうして翻訳学、言語人類学、国際文化学を横断する形でまとめた論稿が、思いもかけず2014年度第4回平野健一郎賞をいただくという身に余る光栄に浴した喜びは今も忘れられない。「国際ニュース報道における民族カテゴリーの訳出に関する考察—異文化間の仲介としての翻訳実践の課題」と題した拙稿は、紛争終結から10年を経たボスニア・ヘルツェゴヴィナに関する報道における民族カテゴリーの翻訳に焦点を当て、言語人類学を理論的基盤とし、ニュース・ディスコースをニュースを取りまく国際文化関係から読み解くことを試みたものである。ディスコース分析を通し、現代社会で展開する民族紛争に関するニュース翻訳がはらむ問題点を明らかにするとともに、問題の背景に、日本の近代化における“nation”概念と訳語の重層性の問題があることを示すことで、翻訳という行為が期せずして担ってしまう権力性、イデオロギー性を提起するものであった。しかし、そもそもニュース翻訳に焦点を据える問題設定自体、国際文化学に相応しいものなのか、また言語人類学を他の学問領域で説得力をもった枠組みとしてどのように提示すればよいのかなど迷いは尽きなかった。その拙稿を本学会において学際性の点で評価いただいたことは、筆者に、翻訳学、言語人類学、国際文化学の領域をさらに動的に横断する勇気を与えてくれるとともに、後述する二つの新たな研究に踏み出す動因となった。

受賞から6年が経つ。振り返ると、国際文化学との出会いは、筆者に文化の境界という根本的な問題への気づきを促し、自らの研究姿勢を問い直す契機となった。国際文化学という視点を与えられて、自らが知らず知らずのうちに文化を固定的に捉えていたことを痛感するに至ったのである。文化の多様性、固有性を提唱し、文化間の差異に優劣はつけられないとする文化相対主義の立場は、フランツ・ボアズ（F. Boas）より現代にまで継承される人類学の基本的な姿勢である。しかし、文化相対主義は単に個々の文化の固有性を主張するものではない。「ある特定の空間に存在する文化が、それ独自の歴史をもって、時間とともに変化していく、しかも相互に交渉し合いながら変化していく」と考えることができてはじめて文化相対主義が十分理解できる（平野，2000，p. 52）。それは、国際文化学の中核を成す文化触変の基盤とする考え方でもある。文化触変を前提とするなら、文化の境界とは決して自明のものではない。国際文化学を通し、筆者は文化の境界が往々にして恣意的に作られる一方、コミュニケーションを通して創造的に、動的に変容していくことを認識するとともに、そこに言語人類学と通底する視点を見出した。翻訳とは、まさに文化と文化が接触する狭間で展開する社会的行為である。そうであるなら、翻訳は文化の境界を恣意的につくる側面がある一方で、文化を創造する行為ともなりうる。そこに新たな翻訳の課題と可能性を見たのである。

上述のように、受賞を機に筆者の研究は二つの方向へと導かれていった。一つは、文化をより多角的視点から捉えつつ、同時代における国際ニュース翻訳の事例研究を積み重ねるという共時的な研究である（e.g. 坪井，2016; 2018）。もう一つは、文化を歴史的視点から捉え直し、“nation”の翻訳を歴史的コンテクストから再考する通時的な研究である。これは文科省科学研究費の助成による「言語実践としての明治中後期の翻訳と近代イデオロギーの構築」[3)]の課題へとつながった。本課題では日本の近代化において“nation”の翻訳が担った文化の境界線の画定が、文化の包摂と排除に関わる近代イデオロギー的実践の一端であったことを明らかにすることを試みた。この二つは今も筆者の活動の軸となっている。

では、言語実践としての翻訳を探求する中で、国際文化学と出会い、筆者なりに国際文化学を実践してきた身として、今後の国際文化学を展望するならばどうなるであろう。それはやはり、文化の個別性、多様性を前提としながらも、文化を自明で固定的なものと捉えず、文化の境界線を問い続ける姿勢に象徴される。人間は生きていくために集団・社会をつくる。異なる文化をもつ集団が接触すれば、必ず文化触変が起こる。文化が異なるが故に緊張、摩擦、紛争が引き起こされもする。しかし文化の境界が自明でないなら、その要因を明らかにし乗り越えていく術もあろう。そして、自明でないからこそ文化触変によって文化を創造的に変容させていくことも可能となる。とはいえ、文化の有り様は多様である。多様な現象にアプローチするためには多様な学問領域に門戸を開く国際文化学の視点は貴重である。何よりも一つ一つの学問分野もまた、人間が生きるための知の探究の中で生まれた文化である。国際文化学が学際的な学問であるということは、そうした個々の文化の横断を可能とするだけでなく、その空間は文化同士が接触し、創造的に変容していく場となる。そのような文化の自由な接触からは普遍的な文化の姿も立ちあがってくるように思われる。国際文化学が学問という文化の境界も常に問いながら、文化を架橋し、新たな文化を創造する場であり続けることを願う。

**【注】**

1）1970年代、欧米を中心に、翻訳の実践、現象を理論的、実証的に研究する独立した学問分野として確立。

2）言語人類学は、フランツ・ボアズ（F. Boas）により打ち立てられたアメリカ人類学の四つの下位分野の一つであり、文化人類学と言語学の中間点に位置する。「ことばの使われ方やその状況の研究から、人間の社会文化について読み解く」（井出・砂川・山口，2019，p. 3）、すなわち「ことばを文化そのものとして捉える学問」（ibid., p. 75）である。とくに、デル・ハイムズ（D. Hymes）の「コミュニケーションの民族誌」の系譜を引き継ぐ「ディスコース中心の文化へのアプローチ」では、ディスコースは「社会行為者間で対話的にくり広げられる「社会的実践行為」として捉えられる」（ibid., p. 43）。

3）科学研究費補助金（基盤研究（C），課題番号15K02533）。

**【参考文献】**

平野健一郎（2000）『国際文化論』東京大学出版会.

井出里咲子・砂川千穂・山口征孝（2019）『言語人類学への招待—ディスコースから文化を読む』ひつじ書房.

坪井睦子（2016）「メタ・コミュニケーションとしてのメディア翻訳—国際ニュースにおける引用と翻訳行為の不可視性」『社会言語科学』第19巻第1号，118-134.

坪井睦子（2018）「ニュース・ディスコースにおけるディスコーダンス—語用・メタ語用としての翻訳の織り成す記号空間」武黒麻紀子（編著）『相互行為におけるディスコーダンス—言語人類学からみた不一致・不調和・葛藤』（137-160），ひつじ書房.

# 草の根の国際関係論を論じる場としての国際文化学

大和裕美子
*Yumiko YAMATO*
●九州共立大学 講師
（国際関係論・社会学）

平野健一郎賞を受賞した拙稿「日韓市民による追悼碑建立運動——山口県「長生炭鉱水没事故犠牲者追悼碑」を中心に」では、2013年に山口県宇部市に建立された「長生炭鉱水没事故犠牲者追悼碑」の建立過程を追いながら、「被害者」の立場からも受け入れられる追悼碑はいかにして建立可能か、という問いを立て考察した。

1990年代前後、日本各地で、日本で命を落とした朝鮮半島出身者を日本の植民地支配犠牲者として位置づけ、反省を碑文に刻み追悼する目的とする追悼碑を建立する運動が展開された。拙稿で「長生炭鉱水没事故犠牲者追悼碑」を事例として取り上げたのは、この追悼碑が宇部市にある「長生炭鉱の“水非常”を歴史に刻む会」（以下「刻む会」と省略する）と韓国の「長生炭鉱犠牲者大韓民国遺族会」の20年以上にわたる交流を経て、建立に至ったという点が特徴的だったこと、そして何より、私が「刻む会」と出会った2008年当時、多くの追悼碑が建立運動を終えているなか、「刻む会」はまだ継続中であり、20年以上にわたる運動を経てまさにこれから追悼碑を建立するという局面を迎えていたことによる。

「長生炭鉱水没事故犠牲者追悼碑」のいまひとつの特徴は、1982年にこの事故の追悼碑が地域の人びとによってすでに建立されていたにもかかわらず、その追悼碑の碑文には命を落とした大半が朝鮮半島出身の鉱夫であったこと、彼らへの謝罪が刻まれていないことを問題とし、新たに別の追悼碑を建立しようとしていたところにあった。1980年代の指紋押捺拒否者を支援する運動をルーツとする「刻む会」は、在日コリアンをはじめとする、人権問題への意識の高さが基盤にあった。その意味でこの運動は、事故の犠牲者すなわち死者の人権を回復させるための運動であったと捉えられる。

「刻む会」は、命を落とした鉱夫の多くが朝鮮半島出身であったことを謝罪と反省の念を込めて、後世に伝えなければならないと考えていた。私も会員となり、運動に同行するなかで実際に感じたのは、自らが「日本人だから」であり、「日本人」であることの責任でなされなければならない、という思いによって運動が支えられているということである。一個人のなかに複数あるアイデンティティのうち、このナショナルなアイデンティティが全面に押し出されながら、「日本人」＝「加害者」、朝鮮半島出身者＝「被害者」という二項対立が前提となっているように感じられた。

その「被害者」＝「朝鮮半島出身者」、「加害者」＝「日本人」に、「揺らぎ」が見られたのは、実際に追悼碑を建立する場面になったときである。韓国遺族会の遺族から「日本人犠牲者は除いてほしい」という声があがった。「危険な炭鉱で働かざるを得なかった日本人もまた恵まれた環境にはなかっただろう。犠牲者の中には沖縄出身者もいた。しかし彼らも「日本人」というだけで外すのか」。「朝鮮半島出身の犠牲者がいたから、この会は設立された。韓国人遺族の思い最優先で考えるべきではないか」。繰り返し議論が行われた。

拙稿では、国際文化学としていかなる意味をもつのかについて、恥ずかしながらまったく言及できていない。にもかかわらず、『インターカルチュラル』に掲載されたのは、この事例そのものが国際文化学的な特徴を有していたからではないかと思う。この事例には「際」が多く存在していた。

日本と韓国の「際」に横たわる問題、日本と韓国という両国の「際」を行き来しながら運動を展開する市民、「政府」と「市民」の「際」、「加害者」と「被害者」の「際」。私もまた「調査者」かつ「一会員」という「際」でどのようにこの問題に向き合えばいいのか、論文の執筆のためという利己的な理由ばかりで、「一会員」としてできることは何もないのではないかと思い悩むこともしばしばだった。

この事例には「際」の存在以外にも、国際文化学の特徴がある。それは平野健一郎先生が仰るところの「動く主体が作り出す国際関係論についての議論」であった点である。「際」を揺れ動く、「動く主体」の複雑な姿が映し出されていた。

2010年代に入り、「強制連行」や「植民地支配」といった文言を碑文に刻んだ追悼碑に批判が寄せられるという現象が顕著になってくる。たとえば、群馬県高崎市の追悼碑「記憶 反省 そして友好」は撤去を要求された。福岡県飯塚市の納骨型追悼碑「無窮花堂」は碑文の修正を求められ、追悼式後に追悼碑を前にヘイトスピーチが行われる年もあった。追悼碑を建立した団体とその支援団体は、追悼碑撤去、碑文修正を要求する団体に抗しており、現在のところ、追悼碑が撤去されたり、碑文が修正されたりしたケースはない。

追悼碑が示す記憶のあり方に反対の意を強く示す人たちと、それを守ろうとする人たちの衝突、軋轢という現象はどのように理解されるのか。追悼碑や碑文を守ろうとする人たちはおもにその追悼碑の建立に関わった人たちである。多くの事例には日本人だけでなく、地域の在日コリアンも関わっているし、「刻む会」のように韓国人が深く携わっているケースもある。

追悼碑建立運動は、日本人と在日コリアン、韓国にいる韓国人との「際」を「埋める」ことに成功した。日本政府、日本人の歴史認識に不信感を抱く、在日コリアンや韓国人に「このような良心的な日本人もいるのだ」と思わせ、「日本人」ということで十把一絡げには捉えられないことをあらためて認識させた。それを顕著に見てとれるのが、国立日帝強制動員歴史館である。2015年12月、釜山に開館されたこの歴史館は、日帝による強制動員の痛みの記憶を収集することを目的としている[1)]。痛みの記憶の展示物が続き、ちょうど折り返し地点に来たあたりに、18人の日本の市民運動家の顔写真が現れる。タイトルには「日本、良心の声」(일본, 양심의 목소리)。痛みの記憶の展示のなかでやや異色を放つコーナーである。

この歴史館の建設に深く関わった許光茂氏に話を聞いた[2)]。許光茂氏によれば、日本の市民運動家の展示コーナーのねらいは、つらい歴史と真摯に向き合う日本の市民運動家の存在を伝えることで、「歴史は、過去と真摯に向き合うこと」というメッセージを来館者に伝えることにあった。その背景には、韓国のマスメディアによる偏向した報道があるという。マスメディアはしばしば「強制動員否定論」「歴史歪曲」に関する報道を繰り返し、それがあたかも日本社会で広く共有されている認識であるかのような誤解と偏見を韓国社会に与えてしまっている。国立日帝強制動員歴史館の展示は、来館者にそういった偏狭な認識をますます植えつけてしまいかねない。そのような懸念を避けるために日本の市民運動家の取り組みを「本来の日本社会」の姿として見せよう。このような許光茂氏たちの思いが、この展示コーナーに込められていた[3)]。

また、このコーナーは許光茂氏たちの日本の市民運動家への感謝の気持ちの表れの結果でもあった。許光茂氏を始め、この歴史館の構想に関わったのは、日帝強占下強制動員被害真相究明委員会の調査員として長生炭鉱水没事故のような日本各地の朝鮮半島犠牲者が命を落とした現場を訪れて、調査を行い、報告書をまとめた人たちである。調査員として現地で日本の市民と顔を合わせ、話を聞き、協力を仰ぐなかで、彼／彼女たち「韓国人」と「日本人」に横たわる溝としての「際」も狭まった。この経験は、この歴史館の展示コーナーを通して展示を見る人たちに間接的に伝えられている。

一方で、追悼碑建立運動を始めとする日韓歴史問題をテーマとする運動の「限界」すなわち埋められなかった「際」もあることを指摘しなければならない。追悼碑をめぐる軋轢やヘイトスピーチといった社会現象は、日本統治期に朝鮮半島出身者が命を落とした事故を反省・謝罪すべき過去として後世に伝えていこうとする記憶が、日本社会でパブリックメモリーとしての地位を獲得できていないために生じるものである。また、このような運動に参加する若者が少なく、多くの団体が「高齢化」の問題を抱えていることを考えれば、世代間の「際」も埋めることも課題であるといえるだろう。

追悼碑建立運動や追悼碑問題の根幹にある歴史認識問題の事の発端は、国家にある。だがこのテーマをめぐって展開される草の根レベルでの人びとの動きに目を転じてみると、国家の対応では一致しないような、異なる文脈、異なる力学が働き、異なる論理が動く様相が垣間見える。植民地支配の記憶、歴史認識をめぐって、人びとが衝突し合う現場としての追悼碑に着目し、国際文化学に位置づけながら、今後も草の根の国際関係論の「際」の様相を描き出したいと思う。

最後になりましたが、『インターカルチュラル』に掲載されただけでもたいへん光栄ですのに、身に余る賞を頂戴することになりまして恐縮の限りです。あらためまして深くお礼申し上げます。

**【注】**

1）日帝強制動員歴史館ホームページ、2020年10月27日最終アクセス。
2）許光茂氏へのインタビュー、2017年6月17日実施、ソウル市。
3）本稿の執筆に際して、許光茂氏と電子メールでやり取りをし、あらためて当該コーナー設置の思いを聞く機会を得た。引用部分は、2020年11月4日に受信。この場をお借りして深くお礼申し上げます。

# 人の行動に立ち返って、文化的ダイナミクスを創出する

斉藤　理
*Tadashi SAITO*
●山口県立大学教授
（文化遺産論）

## 行動論的アプローチから観光まちづくりを再考する

2017年、インターカルチュラル誌に投稿した論文「行動論的アプローチから観光まちづくりを考える―新たな『動詞抽出調査法』の提案を中心に」に対し、平野健一郎賞をいただいた。わが身に余る大変光栄なできごとであったが、受賞時の想いを振りかえってみると、「ああ、こうした考え方は、やはりこれからの社会に求められているのかな」と、それまで何となく漠としていた思考に明確な輪郭が与えられ、自らの確たる自信に繋がったということができると思う。実際、その後、このテーマを台湾、カナダ、ドイツ、ロシアなど海外でもプレゼンテーションする機会を得たが、幸いなことに国内同様、多くの方が強い関心を持ってくださり、新たな人的なネットワークを拡げることができている。平野健一郎賞は紛れもなく、威勢のいいスプリングの仕込まれた跳躍台であった。ここに改めて、同賞の運営を担ってくださっている御関係の皆様に心より御礼申し上げたい。

さて、件の「動詞抽出調査法」。これは一体何か、という点にまずは触れていきたい。これは、今日、各地で盛んに行われている「観光まちづくり」プラン案出のプロセスをより簡易に、わかりやすいものに改善し、なにより様々な文化活動に携わっている地域住民が容易に参画できる仕組みを開拓していこうとする調査法を指す。2014年より各地で試行しつつ、独自に改良を重ねてきた。

具体的には、誰でも参加可能なワークショップを通して、来訪者と地域住民とが「具体的な行動（動詞）」をかすがいに直接的に結び付き、体験を共有できる仕組みづくりを目指していくものである。例えば、地域住民が来訪者に対し伝統文化を「伝える」、「教える」などの動詞が挙げられるだろう。これらは、調査に当たる大学生スタッフ数名が地域住民と共に地域を歩き、

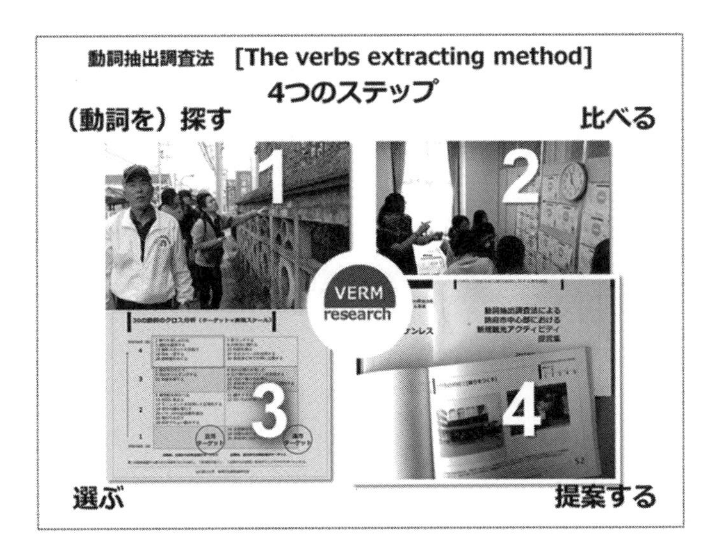


ワークショップ形式で発案を集めていくというプログラムで構成され、参加する誰もが容易に「この通りではかつてこんな動詞が繰り広げられていた」とか「この場所には是非こんな動詞を生み出したい」と提起できるようワークシートなどのツールも工夫されている。こうした動詞に端を発し、従前の地域側から来訪者へのサービスの提供、消費の促進といった観光行動の一元的な関係性を超えて、来訪者も地域住民も互酬的関係を持って協働しつつ観光まちづくりに与することができ、また地域文化の継承に利をもたらすのではないか、というのが全体のシナリオである（図「動詞抽出調査法 4つのステップ」（筆者作成）参照）。

こうした、地域住民の口から発せられる素朴で内発的なアイディアを多層的に、細やかに読み取りながら、観光まちづくりの施策に活かしていく有効な手法は、じつはこれまであまり無かった。どうしても「地域の活性化に有効か否か」というような紋切り型の議論が先行し、諸計画をアプリオリに規定してしまうきらいがある。すると、計画論と実態との間にやがて齟齬が生じ、世界のどこでも耳にすることだが、来訪者と地域コミュニティとの間における「観光の弊害」がもたらされてしまう。けれども、そもそも観光とは人と人との文化接触を土台とする文化的営為であり、従来個別に進められていた「観光」、「文化政策」、「まちづくり」等の関連する近接領域を文化学のフレームで統べていくことができないだろうか、と模索し続けているところである。

実際、わが国の伝統的建造物群保存地区を対象に、観光の実態を把握する基礎調査を実施してみたところ（2018年9月実施／無記名式アンケート）、地域住民の「内発的な観光まちづくり活動」と行政施策等「上位計画」とを有機的に連携させるプロトコル（調査・立案がスムーズに遂行できる方法論）の必要性が改めて明確になった。例えば、来訪者（インバウンド含む）の増加に伴い、地域住民との間でトラブルが発生したり、相互の信頼関係を損ねるような出来事が、およそ16パーセントで発生しており、「民家に勝手に入る」、「花壇がゴミ入れられる」などのマナー問題が生活環境を脅かしている。これに伴い、ガイディング（とりわけ外国語による）の必要性など、来訪者と地域間の文化交流を密にする具体的なパスが求められている実態が浮き彫りになった。さらに「伝建地区において文化財の保護・活用と観光促進との間のバランスを適度に保つことは重要か」との問いには、87パーセントの地域が「重要である」との考えを示し、動詞抽出調査法の開発は、こうした社会課題の解決に対し必要とされていることを実感している。

## 世の中の文化的要素に「動詞」をくっつけていきたい

ところで私は今、この原稿をうず高く積まれた箱の山に囲まれてしたためている。今夏、研究室の引越が実施されたことに伴って生まれた新山である。

毎年、若草の頃になると、立山黒部アルペンルートの雪の巨壁が春の訪れを告げ…と、新聞を賑わすが、まさにあの壁に挟まれている心持ちである。ただ、銀雪の結晶がキラキラ光る美しきものではなく、こちらは単に紙類の地層である。

随分前に出版社との間を往復した本の校正原稿の束、調査に出かけたドイツの役所でいただいた（10年前の！）年次報告書、相互になんら脈略のない新聞記事の切り抜きの束、もう今頃はさぞや立派な社会人として活躍しているだろう卒業生の優秀なレポート等々。これらは、少し格好つけていえば、あらゆるものが私と何らかの関わりを持った「記憶の山」なのだが、実態はというと、殆どその存在すら忘れていた面々で、私の傍らに長年「死蔵」されてきた。

「世の中を見渡すと、こうした死蔵された文化的要素はいったいどれくらいあるのだろう」。気づけばふとそんな点に思いが至っていた（だから、片付かない）。

忘れられた文化的要素は、やはり、何らかの発見をされ、誰かしらの行動（動詞）を伴って顕在化されなければならない。この考え方は、動詞抽出調査法のベースでもある。

箱ヤマとの孤独な格闘は、なおもだらだらと止め処なく続いている有様だが、ときに喜ばしい発見もあった。今度は紙ではない、「スクラッチタイル」という建材である。長辺がおよそ23センチ、短辺6センチ、厚みおよそ2センチのサイズで、タイル表面に櫛引の「引っ掻き傷」が付けられているのが特徴である。近代建築の巨匠と謳われたフランク・ロイド・ライトが設計した「帝国ホテル旧本館」に用いられたことでもよく知られている。西洋生まれの建材と、漆喰仕上のような和風の風合いとが同居する、私も好きなタイルである。

私の研究室に眠っていた一片は、かつて東京・中央区にあった森田製薬所（解熱鎮痛剤の「回効散」で有名）のビルを優雅に彩っていたものである。昭和3年に建てられたビルの貴重な記憶の断片で、かれこれ十数年前、この建物を保存できないか、と奔走した（詳細は当時の雑誌「東京人」など他稿で触れた）。結果的には建物本体は無念にも取り壊すことになったが、創業者がこだわり抜いた外壁の一部は、他の新築物件の中で活用することが叶った。ほんの部分的にしか遺せなかったものの、「遺したい」という熱き想いを抱いていたオーナー関係者は、この結果に目を潤ませながら喜んでくださった。

無論、およそ90年前に建てられたビルヂングを写真に記録することを通し「遺す」こともできただろう。詳細な図面に描きとめたり、目録に記録しておくこともできただろう。しかし、どんなに些細であっても、人々の想いの詰まった「欠片」を、「遺したい」という動詞を伴って遺していくことの迫力には叶わない。この事実を当時、私は直截的に学ぶことができた。以来、小さな文化的要素を見落とさず、向き合って、そこに秘められた「動詞」をひもといていくことの重要さを認識し、またそのプロセスの面白さに惹かれている。つまり、動詞抽出調査法は、些細な「文化的要素」と、それに関わる「人の行動」とを適切に紐づけできるか、という挑戦である、と言い換えることもできるだろう。

## 国際的に相互利用できるプロトコルを整備していく

観光まちづくりのプロトコルである「動詞抽出調査法」は、この数年、各地のまちづくりプロジェクトに対し具体的な成果をもたらし始めている。例えば、この調査法をゼミの演習に取り入れた結果、街の文化的ポテンシャルを格段に探しやすくなり、「大学生による全国観光アイディアコンペ（公益財団法人日本観光振興協会主催）」において2年連続で入賞（全国1位／2位）することが叶った。地域における文化交流の面だけでなく、大学生らの学習面においても今後効果が期待できるだろう。

私のこれからの展望は、「動詞抽出調査法」を国際的に相互利用できるプロトコルの形に整備することである。うまくいけば、これがいわば「共通言語」（あるいはプラットフォーム）として機能し、研究者間、実務者間での意識・課題共有が容易になり、各国間で共同して地域文化を軸とした観光振興に取り組むことができるものと予想している。

そうしたなか、昨年、試みとしてドイツで同調査法によるワークショップを実施してみた。ベルリン市の文化遺産（近代における住宅団地）が対象地で、「今後、いかに多くの住民を巻き込みながら観光交流を創出していくことができるか」という課題を念頭に調査した。地域住民およそ20名が、普段見慣れた空間に宿る「動詞」を探しながら歩き、数時間のうちに有効な結果を生み出すことができた。しかも参加者が皆、愉しみながら。

参加者の感想としては、「この手法が文化遺産／観光領域を横断しながら、かつ市民活動（エンパワメント）から専門的な視点に至るまでのレンジの広い議論を敢えて細分化せずに、複眼的な余地を残しながら、一方で『動詞』という誰でも思いつくシンプルなフレームに落とし込もうとする、従来なかった発想が面白い」という声が聴かれた。

こうした「行政・コミュニティ・文化遺産・インフラ・企業・来訪者」といった複数の観点から観光交流の有り様を探る手法については、目下、世界的にも関心の高い研究テーマであり、今後、国際文化学の視点、すなわち、領域の「間」に入り込んで、「間」の有するダイナミクスを取り込みながら、世の中の見慣れた風景を止揚してみるという発想や手法は、社会を具体的により豊かにしていく大きな可能性を秘めていると改めて思う。

ここに紹介したワークショップを、より多くの地域で、機会あらば、ぜひ読者の皆様が居られる地域でも実施していきたい、と希望している。

# 石巻で考える「危機」と「希望」と「国際文化」

目黒志帆美
*Shihomi MEGURO*
●石巻専修大学助教
（アメリカ研究・ハワイ史）

## 「国際文化」を通じた挑戦

2018年に名誉ある賞をいただいた拙稿「ハワイ王国に写し出されるアメリカ—マーク・トウェインの『ハワイ通信』にみる『自国認識』」は、フィクション的要素の強いトウェインの作品『ハワイ通信』を研究対象に据えたハワイ史研究の試みであった。ここでは、この作品に登場する架空の人物ブラウンの語りに、トウェインが異国ハワイ王国で確信した対ハワイ観とアメリカに対する真の自国認識があらわれている、という議論を展開した。従来トウェインの本作品は、もっぱらアメリカ文学研究のなかで扱われてきたもので、ハワイ史研究の資料として用いられたことはなかった。しかしながら、1860年代にこれほど詳細にハワイ王国の政治・経済・産業を描写したものは他に存在せず、また宣教師以外でアメリカから到来した人物のハワイの記録、という意味でも他に類をみない資料である。

このような貴重な資料がハワイ史研究において用いられることがなかったのは、トウェインの本作品がフィクション性を有する「文学」であったからである。しかし、文学と歴史はそのように分断されるべきなのだろうか。両者を融合した研究はできないものか。こうした実験的・挑戦的構想のもと試みたのがこの研究であった。

以上の着想には、私が研究生活を送ってきた「国際文化研究科」という土壌が影響している。修士課程・博士課程を過ごした東北大学大学院国際文化研究科では様々なバックグラウンドを有する研究者・院生が「国際文化」というダイナミズムのもとに集結した空間で、たとえば地域研究に関しては同一地域を対象とした歴史学・文学等を研究する人々が同じ講座に集う。こうした環境で研究生活を送った私は、分野横断的な研究の可能性を模索するようになった。

「国際文化」の特性は、従来のディシプリンにとらわれない、地平線の拡がりにあると思う。そしてそれは、研究者本人がわくわくするような創造性に満ちた学問のありかたと可能性を秘めている。

以下では私なりの「国際文化」の捉え方を、「ローカル」「危機」「希望」といったキーワードと関連づけながら論じてみたい。

### ローカルから考える

2018年4月に、私は宮城県石巻市にある石巻専修大学に赴任した。石巻市は仙台市から太平洋上を約50km北上したところに位置する。2011年の東日本大震災では大津波による甚大な被害を受け、現在もその凄惨な爪痕と記憶はまちに深く刻まれている。その一方で、石巻は古くから栄えたユニークな港町としても知られる。この小さなまちとの出会いが私の視野を広げ、「国際文化」の新たな可能性を考えることにつながった。

日本から初めて海外に集団で移動したのは、1868年に横浜からハワイ王国へと移住した150人の集団、通称「元年者」である。この「元年者」を統率したのが石巻出身の牧野富三郎という人物だった。2018年は「元年者」ハワイ渡航から150周年の節目を迎えたことから、この年石巻では牧野富三郎とハワイとの関係を見直す動きが活発化した。地域の期待にこたえる形で、この牧野と元年者についてのリサーチを開始した。武士の出身でないことなどから牧野に関する資料は地元には存在しないが、明治期の外交文書をとりまとめた『日本外交文書』には、牧野富三郎に関する記述が残っており、ここから彼が石巻出身で「元年者」の総代であったことが判明している。さらに、ハワイに渡った牧野から明治政府に対して送られた、日本人移民の苦境を訴える嘆願書や、「元年者」の帰国にさいしてハワイ王国政府に対して牧野が書き送った旅券発行を求める書簡などが現存している。現在これらの資料を分析しているところだが、牧野が当時まだ外交に不慣れであった明治政府とハワイとの間の外交問題の解決を決定づけたことは明らかで、移民史・日本史・ハワイ史において彼の存在を明確に位置づける必要がありそうだ。

牧野の研究からみえてきたのは、「グローバル・ヒストリー」のダイナミズムがローカルな「個」の存在を通じて明らかになるということである。そしてこのことは、個々の文化接触・変容の考察を通じて普遍性を問う「国際文化学」のありかたと重なり合う。石巻に赴任した直後は「辺鄙な場所に来てしまった」という思いがあったが、いまとなっては「ローカル」こそおもしろい！と胸を張って言える。そしてその思いは、教育の場で石巻の学生たちに折に触れて伝えているところだ。

## 危機のなかの私たち

石巻、という大変おもしろい地での研究・教育が軌道に乗ってきたところで、未曾有の事態に遭遇した。新型コロナウイルスの世界的感染拡大とそれにともなう「対面」コミュニケーションの中止である。とりわけ、教育現場では従来の対面授業に代わる「オンライン授業」が世界中の大学で導入され、石巻専修大学でもZoomなどを使用した非対面型の授業を行うこととなった。こうした状況は、学生の身体的・精神的なつらさを強いることにもなり、教員側は感染リスクが拭えないなかで、いかにして学生に対して教育の質を担保するか、という難しい課題に直面することとなった。

学生の境遇を心配する一方で、自分自身もオンラインによる孤独感にうちひしがれた。Zoomでの授業が終了すると、さっきまで画面上に表示されていた学生がひとり、またひとりと消えていき一人ぼっちになってしまう。毎回なんともいえない虚無感に襲われた。だからといって簡単に対面授業に切り替えることもできない。

一方、私はプライベートでは大の日本酒好きで、人と酒を酌み交わしながら会話するのが本当に好きである。しかし、その楽しみもコロナ禍によって奪われてしまった。政府がGO TO EATキャンペーンを進めている以上、人を誘って飲み会をすることは問題にならないはずだ。しかし、「万が一」を考えると気軽に人を飲食に誘うことができない。人と飲食をともにすることは大切なコミュニケーションであり、私にとっては研究や教育、人生の学びを得る貴重な空間だった。それが途絶えてしまったことは、私の生活に大きな影響を及ぼした。

「非対面」状態に自らを拘束せざるをえないのは、目に見えないウイルスに対する危機感があるからである。当然、目に見えない敵が相手だから、その危険性に対してはそれぞれが異なる判断を下すことになる。この状況は、2011年の東日本大震災と原発事故を経験した福島の問題と重なる。安全か、危険か。これくらいなら大丈夫かな、いや万が一を考えてやめておこう。こうした判断を日々迫られ、またその判断の差異から分断がうまれる。

コロナ禍は、これまで常識であった「人との接触」がいかに大切であったかということを私たちに再認識させた。それればかりではなく、この危機的状況によって「不要不急」の行動が排除されることになった。

### 希望をもとめて

自粛期間に「不要不急」の具体的対象となったのはライブやイベント、スポーツクラブでの運動、大人数での食事、買い物、映画、カラオケなどであった。ここで私たちが突きつけられたのは、「いまそれが本当に必要か」という価値判断であった。音楽や映画、人との交流といった文化的営みが「生きるためにかならずしも必要ない」と断じられたことになり、このことが人々にもたらした影響ははかりしれない。

シンガーソングライター米津玄師氏は、2020年8月、「Stray Sheep」というタイトルのアルバムをリリースした。これによって、彼はコロナ禍で混乱する世界と自分の立ち位置を模索する姿勢を全面に打ち出した。ここにおさめられた「迷える羊」という楽曲には、以下の歌詞が登場する。

背骨をなくした　大きな機械が　美しく　都市を跨いでいく
屋台は崩れ　照明が落ちる　観客は　白い眼

列なす様に　演劇は続く　今も新たに　羊は迷う
堪うる限りに　歌を歌おう　フィルムは回り続けている

「千年後の未来には　僕らは生きていない
友達よいつの日も　愛してるよ　きっと」

「君の持つ寂しさが　遥かな時を超え
誰かを救うその日を　待っているよ　ずっと」

不安、孤独、迷いが渦巻くこの時代にあっても、未来への希望があることを米津氏は訴えている。そして、同曲が収録されたアルバム発表にさいして日本テレビのニュース番組でインタビューを受けた彼は、次のように話した。

生きていくうえでどれだけその場にとどまっていようと、時代や文化は徐々に変わっていく。不変不朽のものを追い求めるのではなくて、その時々で変わっていく対面の人間をその時々にお互い確認しあって「いま自分たちはここにいるけれど、じゃあどうしようか」というふうに問いかけ合うような関係というのがすごく大事なんじゃないかな、ということを、今こういう世の中にになってより強く思う。

コロナ禍で大きく変容する世界に絶望するのではなく、変化を受け止めたうえで人と人とが問いかけ合う重要性を訴える米津氏の作品と語りは、私たちに音楽、そして文化そのものの存在感を示してくれているように感じる。

皮肉なことに、不要不急のカテゴリーに押し込められたこのような文化こそが、私たちに生きる希望をもたらしてくれている。翻って研究について考えたとき、研究者本人がわくわくしながら取り組む研究にこそ、人の心を豊かにする希望があるはずだと改めて感じる。未曾有の混乱と変容がみられる現代にあって、果てしない地平線と可能性を宿した「国際文化学」にこそ未来への希望がみいだせるように思える。

# 「専門は国際文化学」と言うために

高橋　梓
Azusa TAKAHASHI
●近畿大学法学部准教授
（国際文化学）

第9回平野健一郎賞を受賞したことによるもっとも大きな変化は、自分の専門分野を「国際文化学」だと明言できるようになったことだ。

私は修士課程以来、東北大学大学院国際文化研究科で、フランスの小説家であるマルセル・プルーストを研究していた。修了後はフランス語教育に携わり、現在に至る。これはごく一般的な「フランス文学研究者」のキャリアと言えるかもしれない。

だが「文学研究科」ではなく「国際文化」の名を冠する大学院に所属する人間の常として、異質な専門分野の教員や院生仲間と日常的に接していた自分は、ずっと「フランス文学研究者」と名乗ることに居心地の悪さを感じていた。そして近畿大学就職後、元指導教員である小林文生先生の背中を追うようにして参加した2016年の第15回全国大会（早稲田大学）で、その違和感がはっきりとしたものになった。

「フランス文学」と「国際文化」のあいだを浮遊していた自分の居心地の悪さは、何もかも包括してしまう「国際文化」という茫漠としたタームによるものだったのだろう。「国際文化」という大きなキーワードは、自分が専門としていた19～20世紀フランスに限定されず、現在の世界の諸問題を貫くものである。日々大きく揺れ動く2010年代を生きていた自分にとって、「国際文化」は切実なものとして思考を絡め取る。その一方で、「国際文化」の具体的なアプローチにたどり着くことはできず、自分はフランス文学研究の方法論の中で完結している。この両輪に引き裂かれ、違和感だけを強めていたのが当時の自分の姿だった。それゆえ第15回大会で「国際関係を文化で見る試み」（平野健一郎、『国際文化論』、p.1）を具体化させていた各セッションに心を鷲掴みにされたのだ。それ以来、「専門は国際文化学」と明言することが自分の第一の目標となった。

第9回平野健一郎賞の受賞論文となった「堀辰雄『大和路・信濃路』の半跏

思惟像の表象に見る普遍文化的特性――マルセル・プルースト受容との関連において」は、自分なりの国際文化学を打ち立てるための挑戦だった。しかし私は国際政治学や国際関係論をフィールドとする研究者に比べて、ダイナミックな国際社会を考察する専門性に欠けている。そこで私が取ったアプローチは、徹底的に自分の内面を見ることだった。私の文学読書は、いつも自分の内面と切り離すことができない。プルーストを読むと、プルーストが自分の「目」に宿る。人生の様々な局面において、つねにプルーストが私の「目」に入り込んでいく。私が堀辰雄に感じ取ったのは、彼が私と同様に外国人作家の「目」を宿す作家であるということだ。私に出来ることは、自分自身を軸とした「世界の眺め方」を国際文化学の議論に繋げることであった。受賞論文の方法論となった「対異文化ベクトル」と「対自文化ベクトル」という用語は、「目」の動きに着目することで生まれたものだ。異文化を眺め、その「目」を自分に宿し、その上で自文化を見る。その動きを辿ることにより、異文化と自文化を貫く「普遍文化的特性」を抽出することができる――この方法論は堀の「目」の特性を国際文化学に結びつけて解釈することを可能としたと思っている。本論文が『インターカルチュラル』に掲載されるという知らせを受け、平野健一郎賞の受賞に繋がったのはまさに望外の幸せである。

しかしこの受賞論文を準備する中で、自分に課していた「専門は国際文化学」と明言する「条件」について根本から考え直すこととなった。私は「自分にとっての国際文化学の確立」を目指し続けていたが、今もなおそれが明確化せず、つねに揺らいでいる。そしておそらく「自分にとっての国際文化学」にたどり着けないのは私一人ではあるまい。確立が不可能な国際文化学を専門と明言することは、その行為自体に本質的な矛盾が潜んでいる。

国際関係は決して固定化することなく変化し続け、各国の文化もまた触変を繰り返す。プルーストと堀辰雄をめぐる私の考察もまた、作家たちの内面に立ち現れた文化の諸要素を掴もうとする中で、大きな変化を続けていった。考えてみれば、文化と文化の「あいだ」に立つ我々の方法論がつねに「確立」から逃れるのは当然である。とすればつねに結論を保留し、議論を続けることこそが国際文化学の本質であると言えるだろう。ゆえに私は「専門は国際文化学」と述べる条件を捉え直さねばならなかった。国際文化学の専門家に求められるのは、方法論の確立ではなく、文化と文化のあいだのダイナミズムに身を委ねる意思なのだ。そしてそれは「名詞としての文化」から「動詞としての文化」へと関心を移す本学会の基本姿勢と密接に関連する。方法論として固定化した何かに立脚するのではなく、また自らの方法論を固定化させることなく、やむことなく変化し続ける国際関係と文化を「誕生の母体」と捉えることができるかどうかが、「専門は国際文化学」と明言する条件ではないか。

「動詞としての文化」に目を向け、方法論に迷いながら、螺旋階段を上るように議論を続ける人間こそが「国際文化学研究者」である——そう考えるに至った私は、受賞論文の執筆の傍らで「国際文化教育」について考え始めた。周囲の学生に国際文化学的ダイナミズムを発信することが、国際文化学の振興のために自分ができることだと考えたのだ。「自分の国際文化学の確立」は、学びの延長線上に「仮に」起こるものでしかなく、まずは文化と文化のあいだの揺れ動きを実感し、やむことのない議論を始めることが必要となる——そう考えた私は、学生を相手にした一般教養の授業やワークショップで教育実践を繰り返している。

また期せずして日本国際文化学会の全国大会を近畿大学で開催することとなった。第19回全国大会は書面開催となったが、準備段階で様々な発見があった。大会運営は企画やプログラム作成のため、自分の研究領域を飛び出ることが必須である。そして貴重なこの学びは第20回大会に持ち越すことになった。国際文化学の議論の場を作ることはもちろんのこと、ぜひ会員たちによるシンポジウムや報告の現場に学生を巻き込み、「国際」と「文化」という茫漠としたタームに立ちすくむ彼らに様々な気づきを与えたいと考えている。

最後に、やや個人的なことを書くことを許されたい。

昨年、第9回平野健一郎賞の受賞が告げられ、第18回全国大会の会場である長崎に向かった。大会初日、私は朝に会場に向かう市電を途中で降り、グラウンドゼロを訪れた。歴史的に重要な意味を持つその空間にいるのは私一人であり、周囲を見回すと工事業者以外は誰もいなかったことを覚えている。周囲を歩き、案内板を頼りに、原爆投下直後の地層に見入った。食器や家具の破片が混ざり合った地層が当時の状況を告げていたが、周囲にはやはりほとんど人の姿が見えなかった。

その後、隣接する平和公園に行くと、そこはエスカレーターなどのインフラが整備され、大勢の人で賑わっていた。グラウンドゼロとは対照的に、噴水や平和祈念像の周囲で沢山の観光客が騒いでいた。彼らは痛ましい文が刻まれた石碑の前でセルフィーを撮り、平和祈念像と同じポーズを取り、子供たちは噴水に手を入れて楽しそうに遊んでいる。その落差に目眩を覚え、平和公園のエスカレーターを降りた私は、公園の土台に小さな穴がいくつも穿たれていることに気づいた。言うまでもなく、それは当時の防空壕だった。観光客であふれかえる平和公園の足下は、防空壕が取り囲んでいるのだ。たくさんの悲劇を目撃した防空壕にしばらく見入っていたが、やはり周囲には誰も人がいなかった。物言わぬ大勢の死者が、平和を満喫して楽しく日々を過ごす我々の足下に眠っている――これほど象徴的な空間を私は見たことがなかった。

このときの印象を今でもありありと思い出すことができる。私はそのときに間違いなく防空壕の周りにいた物言わぬ死者の声を聞くことができた。そのか細い声は、子供を思う親の声であり、平和を希求する弱々しいものだ。同時にその普遍的な祈念は、自分の中から沸き起こる「声」、そしてこの平和公園の上で楽しそうに笑う観光客の内奥に潜む「声」と同じものであった。物言わぬ死者が私に差し向けた「声」は、文化と文化のあいだに屹立する「壁」を超えて人類の内奥に灯り続ける普遍的なものを内包している。そしてこのような「声」を聞く力こそが、国際文化学を専門とすることで自分が獲得したもっとも大きなものだった。生者と死者の壁、現在と過去の壁、それは文化と文化の壁、国と国の壁であり、そして自己と他者の壁だ。我々は様々な壁を前に立ちすくむ。壁を乗り越えようとしても、壁は容易に形を変える。だからこそ我々は議論を続け、壁の向こう側と自分を繋ぐものを見出さねばならないだろう。国際文化学は、研究、教育を超え、我々が今を生きるための学問なのであるという確信を抱いている。

# 私にとっての国際文化学
## ——痛みを抱える個人の尊厳と向き合える学問のために

**桐谷多恵子**
*Taeko KIRIYA*
●長崎大学核兵器廃絶研究センター客員研究員、大学非常勤講師
（広島・長崎の戦後史）

私たち人間は、悩む生き物と呼ばれるように、日々、悩みを抱えて生きている。この世界は楽しみだけでは生きられないように造られており、人びとは個人では抱えきれない問題を抱えて（抱えさせられて）日常を過ごしている。その理不尽で不条理な痛みから解放されるために、国際文化学という学問が人間の社会に役立って欲しいと切に願っているし、そのために自分は研究に取り組んでいると自負している。

法政大学国際文化学部で受けた講義を通して、私が幼い頃から抱えてきた問題は、個人的な問題ではなく国家や世界に繋がる問題ではないかという発想の転換の機会を得た。それはまさに、学問の力により、心に抱えてきた苦しみが解放されるような感覚であった。

私が学問の道に進むきっかけとなったのは、〈家族が抱える「問題」が家族だけの問題なのだろうか〉という問いであった。10歳の時に、父から母方の家族（曾祖母、祖母、伯母）が原爆に遭っていることを告げられた。横浜で生まれ育った私にはそれまで自分の人生と「原爆」を結びつけて考える機会はなかった。私が生まれた時には、被爆した親族はすべて癌で亡くなっていたので、原爆の体験者から話を聞く機会はなく、さらに、被爆者の娘である母に聞いても「『ピカドン』についてはほとんど聞いたことがない」といって何も聞き出す事ができなかった。母にしつこく尋ねると、無言で涙を流すだけであった。その空気の重たさをよく覚えている。しかし一方で、母が言葉を発せなくとも、日常にはある意味での「声」があふれていたように思う。私はその「声」（それはまるで水のようにつかみどころのないものである）に浸って成長してきたように思うのである。

〈祖母が受けた原爆の放射能は自分に流れる血の中で悪さをするのだろうか。〉自分にも原爆の放射能の影響はでてくるのだろうかと考えたとき、世界を見る目が一変したように思えた。同じ年頃の同級生が恐れていたお化

けや霊、UFOより怖いものがあるかもしれないと幼いながらに考えたものだ。更に、被爆地から離れた横浜で育った父からは、母との結婚を家族から反対されたと耳にした。その理由は原爆によって子供に放射能の影響がでるかもしれないということであった。

母と父が結婚する時期の1976年7月1日に開かれた東京都議会の委員会で、自民党の近藤信好議員が、「被爆二世」に対する医療費をめぐる条例改正案の審議の中で「遺伝の問題があるので、被爆者の絶滅の方法はないか」という発言をしているが[1)]、このような発言が平然といわれる時期があったのである。〈私はこの世界に存在していいのだろうか。〉自分が生まれた意味を問うようになった。

17歳の時には、祖母が亡くなる3か月前(被爆から30年後)に記した日記にも出会うことができ、祖母が原爆病院の屋上で、一人で天に祈るように記している想いを読んだ。自分の病気との闘いを「個人の難」や「宿命」として受けとめて記してあり、やりきれなさを感じた。日記を読みながら、祖母の隣で話を聞いて「そうじゃないよ、おばあちゃん一人が抱える問題じゃないんだよ」と伝えることができたらと願い、祖母の抱えていた心の苦しみを一部でも私が背負うことができればと思った。

被爆体験者の祖母が死ぬまで気に病んでいた原爆のこと。母の語る「ピカドン」と私が口にする「原爆」との距離。体験者とその娘、そして自分。つながりながらも、被爆体験から離れたところに位置する自分の存在を感じていた。この距離感が祖母や母と同じように原爆について語ることができないという、当事者たちと一体化できない寂しさを常に私にもたらしていた。しかし、一方では、原爆は他人事ではなく、錐を刺し込むような痛みを心に与え続けていた。被爆地から離れた横浜で育った私は、被爆者の孫であるということを口外することの恐ろしさを感じており、原爆の関係者であることを他者に知られればこの問題が自分にもふりかかってくるであろうと考えていた。原爆を自分の問題として、つまり当事者として感じつつ、同時にそれを隔てる距離も感じてきた。振り返ってみれば、私にとっての原爆の当事者性とは何かということが、私を苦しめ続けていたと言える。

このような距離感について、一つの「決着」をつける機会が訪れた。高校三年生の時に「卒業論文」を書く機会があり、自分にとっての原爆との関係やその距離感の問題を、「私にとっての核問題」と題して作文にした。大学に進学して「戦争と芸術」について講義を担当されていた司修先生の原爆への思いを耳にした時、自分が抱えてきた原爆の「秘密」を先生に伝えたいと思った。決死の覚悟で先生に手渡した作文は、様々な葛藤の中で法政大学国際文化学部紀要『異文化』第一号に掲載された[2)]。その後の反響は抱いていた恐れとは離れた場所へ私を連れていってくれた。二人の同級生から「『異文化』を読んだ」と声をかけられた。一人は祖母が広島の被爆者であり、家族の健康被害を心配しているという声を伝えてくれ、もう一人は在日韓国人で、自分の存在について思い悩んできたことを打ち明けてくれた。この時に自分が抱えてきた問題は他の人びとが抱えている問題とつながり、対話ができる可能性があるということに初めて気付くことができた。

国際文化学部の一期生として学んだ私たちは、「国際文化学とは何か」、先生方と多方面から議論していた。その際に、文化研究というものは、生活者である人びとの日常の問題から出ているということを知った。平野健一郎先生の著書『国際文化論』には「直接的に人々の生活、人々の生きかたに影響を及ぼす国際関係の現象がある、それを論じることを国際文化論といおうというのが筆者の主張である。なぜなら、人々の生活、生きかたは、定義によって文化だからである」[3)]と書かれている。自分の抱える問題は文化研究によってひも解くことができるのではないか。そしてそれは、祖母や母の声を解読し、取り戻すことに繋がるのではないか、という思いに至った。

とはいえ正直なところ、被爆体験者からは離れた位置にいるアウトサイダーとしての自分の立ち位置にも悩み続けていた。何かいつも境界線の上を歩いているような感覚というか、(高校生の時の作文でもそうであったが)そのはざまで自分の語る言葉を必死で集めてきたように思うのだ。ある面では「当事者」意識もあり、一方では圧倒的に「他者」である自分が、当事者たちといかにして対話し、共に言葉を綴っていくのか。国際文化学の学びの中で新たな視点に恵まれた。

しかし、大学院へ進学し、研究者としての訓練を受ける中で、既存の学問の枠組みで私の抱えている問題を掘り下げようと試みると、これまで日常で耳にしてきた当事者の「声」が聞こえ辛くなり、自分の言葉を失っていくように思えた。これはどういうことなのか、ひどく悩んだ。おそらく、既存の学問がおしつけてくる力が日常に抱える民の声を矮小化し、排除する作用を有しているのではないか。私は自分の居場所を見いだせずにいた。

ところが、自分が育った国際文化学は違っていた。国際文化学には、知の権威が出来上がっていない(国際文化学においては、知の権威をこの先も造り上げてはならないと思う)。平野先生がその著で「国際文化論のための出来合いのディシプリンを求めたがる人には、挑戦者の資格はない。この場合、ディシプリンは他から与えられないし、他のさまざまな分野から有効と思うものを自力でとってきて、会得しなければならない」[4]と書いておられるが、この言葉は私にとって何よりも励みとなった。それはつまり、国際文化学においては問題意識、テーマの設定が重要になるということである。私の家族の問題を、日常にあふれている声のままで表現し、理論化していくことが可能なのかもしれないという希望を抱いた。

この度、日本国際文化学会「平野健一郎賞」をいただいた拙論「浦上の「受難」と「復興」における文化の存続——キリスト教修道士・岩永富一郎の活動を中心に」[5]の軸をなしている問題意識は、当事者たちが大事に思う歴史を描く、ということであった。長崎原爆の爆心地となった浦上で懸命に人びとを支え、文化をつなげてきた一人の日本人修道士、岩永富一郎。人びとは、「ヨゼフ様、ヨゼフ様」と呼んで慕っていた。涙を溜めてヨゼフ様を語る人びとがいる一方、彼について書かれている文献は管見の限りではあまりに少なかった。それは、叙述される機会を与えられる者とそうでない者たちの権威の差が如実に表れているように見えた。証言者の一人である深堀好敏さんは「ヨゼフ様なしに浦上の復興は語れない。しかし、ヨゼフ様の歴史を誰も残していない」と語った。そこには「歴史」として記されない民衆の哀しみと憤りが滲んでいた。私は人びとが伝承によって大事に語り続けたその人を描かなければならないと考えた。それは「個人の尊厳」を取り戻す作業でもあるように思えた。文書史料が限られた中で描くことは非常に困難であったが、関係者の方々のご尽力で描くことが叶った。論文が書きあがった際に、関係者の方々と手を取り合って喜んだ日を忘れない。

この20年を経て、私が思う文化研究のあり方というのは、やはり平和のあり方と重なるものであった。私たちは文化研究において、多文化共生や、間文化性を学んできた。国際文化学において重要となる多文化共生はイコール世界平和の根源であると考える。私の文化とあなたの文化の間で生まれる新たな文化。それは、つまり他者を攻撃する文化から、他者を理解し、受け入れる文化を創っていくという視点である。その時に重要となるのがつながることであり、互いに結びつき合うことであり、共生である。国際文化学がバラバラにされている者たちをつなぎ合い、孤独から解放する学問であると確信している。人間が人間として生まれた歓びの中で生きていく道を模索する学問であるからこそ、学際的であり、人に出会うフィールドワークを重んじる学問であると考えている。そういう意味で、国際文化学に携わる意味も自分なりに認識できるようになってきた。

国際文化学会は自分にとって、故郷のような学会である。卵の段階から温めて育てていただいた。この度日本国際文化学会「平野健一郎賞」を頂いたとき、「見ていてくれる人は必ずいる」という学会における温かさを私に思い出させてくれた。今回の受賞を機に、微力ながら国際文化学および、国際文化学会発展のために恩返しができるように、成長して羽ばたきたいと決意している。

**【注】**

1）中村尚樹『「被爆二世」を生きる』中央公論新社、2010年、143頁。
2）桐谷多恵子「私にとっての核問題」『異文化』第1号、法政大学国際文化学部、2000年。
3）平野健一郎『国際文化論』東京大学出版会、2000年、201頁。
4）同上書、202頁。
5）桐谷多恵子「浦上の「受難」と「復興」における文化の存続――キリスト教修道士・岩永富一郎の活動を中心に」『インターカルチュラル：日本国際文化学会年報』第18号、2020年3月。

〈平野健一郎賞受賞者に聞く〉

# 第二部　座談会「私の国際文化学」

［第二部　座談会］

# 私の国際文化学

日時：2020年10月18日（日）14時～17時
場所：オンライン会議
出席者：稲木徹、鳴原敦子、趙貴花、土屋明広、川村陶子、大和裕美子、
　　　　目黒志帆美、高橋梓、桐谷多恵子（敬称略、受賞順）
司会：小林文生（年報編集委員会委員長）
技術サポート（年報編集委員会より）：斎川貴嗣、目黒志帆美

年報編集委員会より：特集の参加者12名の皆さんからあらかじめ提出していただいた原稿（この特集の第一部に掲載してあります）を全員が相互に読み、それを踏まえて意見交換するという前提で、日程調整の結果、全員参加はかないませんでしたが、９名の皆さんの参加を得て座談会を開催しました。

**【はじめに】**

**小林**：本日はお集まりいただきましてありがとうございます。本来ならば、どこかの会場に集まるわけですから、20分前ぐらいから三々五々集まって「やあ、久しぶり」と手を振ってみたり、あいさつを交わしたり、あるいは初対面で名刺交換をして「よろしくお願いします」と、何か笑顔の中に始まっていくのですが、それがないのがとても残念です。空気がないんですね、ここに。ですので、皆さん思いきり気を発していただいて、画面から空気をそれぞれに感じてください。

概要をお話ししますと、今度の19号の特集を作成するに当たって、編集委員会だけではなくて常任理事会などでもご意見を伺った上で、このような企画にしました。すなわち、これまでの「研究奨励賞」「平野健一郎賞」の受賞者に焦点を絞って、皆さまの声を伺うという内容です。

振り返ると、2001年11月にこの日本国際文化学会が誕生して、それ以来の『インターカルチュラル』を目の前に並べて背表紙を見るとすぐ分かりますが、まず創刊号では特集として「国際文化学のめざすもの」というタイトルが組まれて、熱のこもった議論がなされています。

それ以後の特集では、第2号の「グローバリゼーション」とか第4号の「ナショナリズム」などといった基本概念をめぐっての議論、また具体的な地域に焦点を当てた、第6号の「琉球（沖縄）文化」とか、第9号の「北海道」、あるいは12号の「ラテンアメリカ」ときて、最新号、昨年の全国大会が「East meets West in Nagasaki」という、そこに至っているわけですね。

その途中で11号の「災害」という言葉のように直近に発生した災害、ここでは東日本大震災ですが、それを反映するというような企画もあったという具合に、そのときそのときの全国大会の開催地とか、皆さんの研究教育内容、あるいは社会状況と関連してさまざまな課題が論じられてきました。その間に、この学会独自の制度の「文化交流創成コーディネーター資格認定制度」なども生み出されてきました。

そのようなこの学会の歴史を背景にして、今回の第19号は発行される2021年がちょうど学会設立20周年という時期にも当たりますので、その一区切りということも念頭に置いてこれまでの歩みを踏まえつつ、今後を展望する企画ということになろうかと思います。

2009年度と2010年度は「研究奨励賞」、2011年度から名称を変えて「平野健一郎賞」、この受賞者の皆さまというのは、これまでに13名いらっしゃいます。その皆さまに、次のようなことをお願いしました。

すなわち「平野健一郎賞を受賞した後、ご自身にとっての国際文化学をどのように捉えていらっしゃるか。また、今後の国際文化学はどのようにあるべきとお考えか、ご自身の研究活動との関連でご自由に書いてください」と、そのようなお願いをしまして、皆さまから素晴らしい原稿をお寄せいただきました。頂いた原稿を拝読しまして、本学会の歩みと特徴があらためて浮き彫りになるように思いまして、私も感動しながら読んでおりました。

今日は、日程調整の結果ご都合がどうしてもつかないという方もあって、全員参加はかなわないのは残念ですが、お互いに原稿を読み合っていただい

たということを元にして、自由闊達な意見交換をしていただいて、何かがここで発見され、それから今後の国際文化学、あるいは日本国際文化学会の発展に寄与するような場になったらいいなと思っております。

もちろん、国際文化学について多様な考えがあると思いますので、今日何か明解な結論に至る必要はないと思っています。自由な意見交換によって、相互に触発し合って何かが生じてくると期待しています。あえて言いますと、自動詞的な意味での「創成」ということがここでなされたらと思いまして、楽しみにしております。

全体を第1部と第2部に分けまして、第1部を「理論編」、第2部を「実践編」というふうに、ちょっと分かりやすく分けようかと思います。第1部の1は「ひと」「個人」というテーマをめぐって。それから2に「あいだ」という概念を入れて、ここで一回休憩を挟んで、第2部を全体としては「当事者」というテーマをめぐって、実践編として議論してみたいと思います。

最後にまとめとして、「今後に向けて」ということで、皆さまから、お一人ずつお話しいただけたらと思います。そのような進め方でよろしくお願いします。

なお、今もうすでに画面でもご覧のとおり、編集委員会から技術サポートとして斎川貴嗣先生に参加していただいておりますので、よろしくお願いします。また、受賞者として参加いただいている目黒志帆美先生ですが、編集委員でもいらっしゃるので、今日の技術的な部分でもサポートをお願いしておりますので、よろしくお願いします。

それでは、まずは自己紹介から始めましょう。受賞順ということで、稲木先生からお願いします。

**稲木**：はい。皆さん、こんにちは。稲木徹といいます。国際法を専門にしていまして、国際法の中でも、特に文化に関する国際法を研究しています。研究奨励賞の受賞論文は「『国際文化法』構想と国際文化学」ですが、「国際文化法」と「国際文化学」は言葉が似ているなということで、そういう印象から始まりました。

ですから、国際文化学会が「国際文化」学会ではなかったら、私はここにいないんだろうなあというふうに思っています。原稿は「インターカルチュラル」とか「国際文化」とか、そういう言葉にこだわって書いたのですが、それはそういう事が原因ということもあります。

今は中国の安徽大学という所にいるんですけれども、2012年から中国にいます。ですから、しばらく学会に行けていないのがすごく残念です。中国にいるということから、原稿では中国の研究についても言及しています。原稿は全体的に、すごく荒っぽいところがあると思うんですけれども、あくまでも試論ということで、皆さまのご意見を聞きたいなと思っております。初めての方もいらっしゃいますけれども、今日はどうぞよろしくお願いします。

**鴫原**：鴫原敦子と申します。現在、東北大学の農学研究科に所属しております。初めての方と、何度かお会いしたことがある方といらっしゃるんですけれども、私はもともと社会学が専門なんですが、開発と環境問題に関心があったということもあって、大学院生時代に開発経済学とか環境社会学、平和学など、そういった分野横断的な勉強をしながら研究に取り組んできました。

震災があって、それ以降、実は国際文化学会にしばらく足を運べていなくて、今日、当時、同期で受賞しました稲木さんと趙さんに、画面上でお会いできるのをすごく楽しみにしていたところです。

皆さんのお話に、どれだけかみ合っていけるか心配も少しあるんですが、近況報告を交えつつお話に参加させていただけたらと思います。どうぞよろしくお願いいたします。

**趙**：趙貴花と申します。名古屋商科大学に所属していて、アジアの社会と文化について教えています。第1回の「日本国際文化学会研究奨励賞」を受賞したこと、大変光栄に思います。

私の専門は教育人類学で、中国の改革開放以降の人の移動と教育との関連に非常に興味をもって研究を始めました。しかし、最初から国際文化学を意識して勉強を進めたわけではなく、特に今回の企画で、自分の研究が国際文化学の発展に密接に関与する内容であったということに気づき、非常にうれしく思います。
　また、その関連で今日、皆さんにお会いできて意見の交換ができること、大変うれしく思います。よろしくお願いします。
　**土屋**：金沢大学の土屋です。大学では主に教育法制度を講義していますが、専門は法社会学でして、特に人々の争いに適した紛争処理制度の研究をしております。ですので、国際文化学とは縁遠い研究をしてきたのですけれども、佐賀大学におられる木原先生と吉岡先生に誘われてこの学会に参加するようになり、在日朝鮮人・韓国人の「本名宣言」に関する論文で「平野健一郎賞」をいただきました。今、話しましたように法学をベースとした教育を受けてきましたので、この座談会や国際文化学に寄与できるか非常に心許なくて今日はある種の「居心地の悪さ」を感じています。
　しかし逆にこれまで身につけてきたディシプリンに囚われないで皆さんと議論できるという「居心地の良さ」も感じていて、すごく楽しみにしています。今日はよろしくお願いいたします。
　**川村**：成蹊大学の川村陶子です。専門は国際関係論です。研究を始めた当初から国境を越える人のつながりに関心を持っており、それをどうしたら国際関係論の枠組みの中で分析できるのかに頭を悩ませてきました。
　もともと国際文化交流をめぐるドイツの実践を研究しているのですが、受賞論文では視点を変え、ドイツにおける多文化共生に焦点を当てました。自分の研究の中では少し変わったテーマで、それをさらにどう研究しようか迷っているうちに月日がたち、今日に至っています。
　土屋先生が居心地の悪さということをおっしゃっていました。私自身も実は似たようなことを感じています。日本国際文化学会には創立以来大変お世話になっているのですけれども、所属会員の先生方との研究アプローチの違いを感じながら今まで過ごしてまいりました。私自身も歴史や文化人類学のような人文系の方法を用いているのですが、やはりディシプリンが異なるせいでしょうか。今日もどれだけお話に付いていけるか心もとないですが、ぜひ皆さまと交流したいと思います。どうぞよろしくお願いいたします。
　**大和**：大和裕美子と申します。今は、北九州にあります九州共立大学におります。専門はというと、いつも何て答えたらいいのかなと迷いつつ、何年も経っている状況なんですけれども、一応、学部のときから国際関係論ゼミに博士課程に至るまで所属しておりました。
　ただ、大学院の学府の名前も比較社会文化学府の国際社会文化専攻ということで、やはり学際的で、いろんな学問を専攻しつつ、それを横断するといった授業もあり、いろいろなディシプリンの方法だったり、研究発表とかを聞く機会はありました。その中で自分の問題関心がどの学問領域に当てはまるのかということには、今でもずっと悩み続けているところです。

そういう私が、国際文化学会に最初にお邪魔したのが、札幌の東海大学で行われた大会だったんですけれども、やはり国際関係論ではちょっと国際関係論なのかなっていう疑問符が付されそうなところが、国際文化学会では付されなかった。というのが、私がずっとお邪魔し続けている理由なのかなと思います。

国際関係論ゼミにいながら、国際関係を揺るがす問題としての歴史認識問題にずっと関心があるんですが、私は国家と国家、政府と政府というよりも、草の根の人々がローカルな場でどういった歴史認識、歴史問題、あるいは記憶、特にアジア太平洋戦争、植民地支配の記憶に関わっているのか、どういう現象が、草の根で起きているのかということにずっと関心があります。

そういう形で研究を進めているんですが、なかなか自分の専門が何なのかというのが言えない状況で、今回この機会を頂戴しまして、その事についてあらためて向き合う、とても良い勉強の機会になっています。なかなか貢献できることがないというか、勉強させてもらう事ばかりで恐縮なんですけれども、今日はどうぞ一日よろしくお願いいたします。

**目黒**：目黒と申します。よろしくお願いします。私は石巻専修大学という宮城県の大学に就職して、今年で３年目になります。私の専門はハワイの歴史、とりわけアメリカに併合される前のハワイ王国の歴史を専門にしています。ハワイ王国とアメリカ本土の関係ですとか、今ですと、日本からハワイに渡った移民ですとか、ハワイと外の関係というのを重視しながら、ハワイに関わる研究を広くやっているというところです。

「平野健一郎賞」を受賞させていただいた私の論文は、文学と歴史を融合させたような研究です。フィクションを歴史の資料にしてみるという、私にとっては大きな挑戦でした。

国際文化学に関していいますと、国際文化って何だろうというのを常に考えいる状況で、「これが私にとっての国際文化学だ」っていうことをはっきり言えなかったなと、この論考を書いてみて感じました。今日皆さまとお話をする中で考えを深めて学んでいけたらと思っております。よろしくお願いいたします。

**高橋**：こんにちは。近畿大学の高橋梓と申します。私は今回の原稿にあるように、「専門は国際文化学」と表明するスタンスです。その上で「研究対象はフランス・日本の文学」と言うようにしております。

私はマルセル・プルーストを研究するために、東北大学の小林先生の研究室の門をたたき、以来現在に至るまで16年間お世話になっております。私はこのような専門を持ちながら、近畿大学の法学部にフランス語教員として採用されました。

私は近畿大学の法学部の教員として、自分にできる事を探る過程で、国際文化学に深く入り込むようになりました。ですから、教育的観点から自分の研究というものを考え直しています。私にとっては、法学部も国際文化学会も、とても居心地がいいなと思っています。今日は私以外にも法学部所属の先生がいらっしゃるというので、今日いろいろお話を聞けたらと思っています。

私は国際文化学会のいろいろな議論を学生に見せたいという思いから、近畿大学で国際文化学会の全国大会を開催したいと希望しました。コロナもあり、2年間実行委員長を継続しております。学会の運営に関わらせていただいていることもあり、組織としての国際文化学会を考えていくというのも、非常に興味深いと思っております。

私の受賞論文は、堀辰雄とプルーストの関係を論じたものです。それについては後ほどお話しさせていただければと思います。今日はよろしくお願いいたします。

**桐谷**：こんにちは、桐谷多恵子です。この度は栄えある「平野健一郎賞」を頂戴し、心から御礼申し上げます。私は皆さまとは異なり、国際文化学部で育って、国際文化研究科で国際文化学の博士号を頂いた人間です。しかし正直なところここで改めて何を申し上げたらいいのか分からないという状況です。

ただ、言えることは、私の専門が広島と長崎の復興史なんですけれども、いわゆる復興というと都市計画が前面的に出てくる議論になるのですが、しかし生きている人間、一人の個人を、その人たち一人一人がどうやって生き抜いてきたのか、その人たちが語る復興とは何か、というものを描くときに、全て学際的に必要だったということです。歴史学ですとか、社会学ですとか、法学、経済学ですとか、個人史、民衆の歴史ですとか、そういった全ての総合的学問みたいなものが必要で、それをやるときにはやはり国際文化学にいてよかったなということを、いつも思ってきました。自分の問題意識を研究するには、型にはめられないで取り組んでいくことが重要でした。私は本当にノビノビ研究に取り組んできましたし、国際文化学会での報告のときも、「ノビノビ」というのが自分の心の中の何かリズムでありました。

今回の受賞論文は、関係者の方々から、これをどうしても書いてほしいということを託され、そのテーマを書いて出しました。それがこのような結果になるとは、こんな幸せなことはないと思い、本当に感謝しております。どうぞ、今日はよろしくお願いいたします。

## 【第1部】

### 1 「ひと」「個人」

**小林**：それでは、目次に従いまして、一つ目のテーマで「理論編」として第1部で「ひと」「個人」という観点と、それから次に「あいだ」という観点でお話を進めたいと思います。まずは、1番目の「ひと」「個人」というところで、ここは桐谷先生が、この前提出していただいた文章の中でも引用なさっている、平野先生の『国際文化論』の中の言葉にある「ひと」というところ、人々の生き方とか生活、それが定義上、文化であるという、そこに力点を置いてものを見るという、その辺りから始めたいと思います。

この観点で何人もの方が言及なさっていますし、言葉として現れていなくても、ある程度以上、皆さん共通点かと思うので、まず私の方から指名させてください。

最初に、川村先生がこの事をずいぶん書いていらして、「文化の視点イコールひとの視点」あるいは「文化の多次元性」というような、さまざまな言葉でおっしゃっているので、少し川村先生から皮切りでお話しいただけたらと思いますので、お願いします。

**小林文生氏**

**川村**：ありがとうございます。いきなりバトンを渡され

**川村陶子氏**

て緊張しております。原稿に書いた内容を繰り返してお話しすることしかできず、大変に恐縮です。

80年代から90年代にかけて、多感な年ごろだったときにベルリンの壁が崩壊しました。しかし、当時国際政治学のテキストを書かれていた先生方はそれを予見できなかった。それをとてもショックに思ったことが、私の研究の始まりでした。

学生時代に参加した国連大学のセミナーに、蝋山道雄先生というリアリズムの大家の先生がいらしていました。ちょうどソ連崩壊直後ぐらいの時期でしたが、蝋山先生は若い私たちを前に何か話をしてくださろうとしても言葉が出てこず、「冷戦はまだ終わってない」とずっとつぶやいていらしたのです。尊敬されていた大御所の先生でも、国家を中心とした思考枠組みでは国際関係の変動を予知できず、理解に苦しまれていた。それを目の当たりにして、〈くに〉を基盤で支えている〈ひと〉の視点から世界を見ていくことが必要ではないかと考えました。「私の国際文化学」はそこから始まったと思います。

今日の座談会に参加された皆さんも、〈ひと〉の視点を大事にしていらっしゃいます。そこから世界をつかみ取っていくことが、軸足を置くディシプリンは何であれ、国際文化学の一つの基本なのだとあらためて実感しています。

大学院生時代、国際関係論は、国境を越える現象をさまざまな学問分野の方法を借りて分析する研究だと教わりました。法学的なアプローチであれば国際法、経済学であるならば国際経済学や政治経済学、そして政治学のアプローチを借りてくるものが国際政治学で、これが国際関係論の軸になると言われました。そのような中で平野先生のご指導を受け、人文系の学問の方法を用いて国境を越える現象を分析することの有用性を実感するようになりました。これもまた〈ひと〉の視点ということだと思います。

その後、縁あって成蹊大学文学部に就職しました。文学部の学生たちは、歴史や文学、社会学、文化人類学などの見地から国際関係を読み解くことに大きな関心を示してくれます。国際関係論や国際文化論の授業では、これからは「文学部の国際関係論」の時代だと、自分を励ます意味も込めて話しています。

このように、国際関係論における〈ひと〉の視点は、一人一人の個人から世界を見る、人文学（ヒューマニティーズ）の方法で分析するという二つの特徴を持っていると思います。

**小林**：どうもありがとうございます。今、大枠のところをとても丁寧にお話しいただきました。皆さんの原稿を拝読していて、稲木先生の、法学の立場ですけれども、また別な観点から、例えば、動態性というのに対して個人の内面というものを見る必要があるとか、あるいは人権、今、人権に一番関心のあるとおっしゃっていた。それからそこに「文際的人権」という言葉をお使いになっていました。これを教えていただけるとありがたいのですが、その辺りからいかがでしょうか。よろしかったら、稲木先生お願いします。

**稲木**：小林先生が今言われた事を全て包括的に話す自信がないんですけれども、できる範囲でということで、今の川村先生の話を受けて、自分が今考えている事を話すということでよろしいでしょうか。川村先生が先ほどおっしゃったように、今回の原稿を読んでいて、全体的に全ての人が「ひと」に注目しているなというのは感じました。「当事者」という言葉であったり、「市民」という言葉であったり、「主体」、それから「自己」、「自分」、「私」、それぞれ、何というか、「ひと」に注目しているなというのを感じました。

もう一つ面白いなと個人的に思ったのは、「私」も「市民」も「個人」も全て名詞だと思うんですけれども、高橋先生が、「動詞としての文化」ということを言われていたり、斉藤先生が「『遺したい』という動詞を伴って遺していく」とか、「『動詞』という誰でも思いつくシンプルなフレーム」とか、動詞に注目している先生がいらっしゃるというのをすごく面白く感じました。

あと、「文化触変」は接触して変化するっていうことですけれども、土屋先生は原稿の中で「他者に触れて変化する」という形で、「触れる」という言葉を使っているのがすごく印象的で、「触れる」という言葉自体が、とても人々にとって身近な言葉に感じられました。

稲木徹氏

私の原稿の中でも「またぐ」という言葉について言及

しましたけれども、「またぐ」にしても「触れる」にしても、それから「遺したい」にしても、それぞれ身近な場所で、それぞれの当事者が発している言葉というふうに感じられて面白かったです。皆さんが「ひと」に注目しているのは確かにそうなんですけれども、人の動作というか思いというか、動詞に注目しているっていうところも、何か共通したものがあるのかなというふうに感じて、大変面白かったです。

**小林**：今のお話の中で、特にこんなところに関心を引かれたと、お名前の挙がった、高橋先生と土屋先生、続けてお話しいただけたらと思います。高橋先生、どうでしょう。

高橋梓氏

**高橋**：「動詞」に関しては木原誠先生の受け売りです。「動詞的文化」がなぜ重要なのか。これはやはり国際文化学を「インターカルチュラル」と捉えることに関係しています。つまり文化本質主義に陥らないために、文化を生成する主体が重要になってくる。そこに現れるダイナミズムを考えると、動作、つまり動詞が重要になると思うのです。

ただ、稲木先生の原稿を読んだときは、私が陥らないようにと気をつけていた「固定された文化」を重視する立場もまた重要だとおっしゃっているように思いました。これは私の解釈違いかもしれませんが。

いずれにせよ、名詞も動詞も、文化には両方の側面が必要だとは思います。そして私の研究では、動詞の主体をミクロのレベルまで押し進める。そうすると「個人」というものが出てくる。私は個人の声を普遍化する形で残しているものが文学作品と考えています。それゆえ私にとって文学作品は「動詞としての文化」の証言集として、非常に有効な研究対象なのです。その分析を通じ、国際関係を多少なりとも見て取ろうとするのが、現在のスタンスです。

**小林**：伺っていて思い出しましたが、白石さや先生が会長でいらしたころにお書きになった文章の中で「これからの時代は、私は何ものであるかではなくて、私は何をするものか」と。まさに、名詞から動詞へということを書いていらっしゃったのを、思い出しました。

話を戻しまして、土屋先生の、先ほど稲木先生がご指摘なさった、特に「触れる」というところで、触変あるいは接触。その辺りの事、いかがでしょうか。

**土屋**：僕は皆さんのご論稿を読んで全体を俯瞰して捉えるというのはできてなくて。というのは、皆さんのご論稿それぞれが考えさせられるもので、一個のものとしてしか認識できなかったというのがありました。ですから皆さんのお話をなるほどと思いながら聞いていました。

「触れる」、「触変」については、座談会に向けて平野先生の『国際文化論』を読み直していくうちに、自分の中で知らず知らずのうちに意識してきた言葉だったと気がつきました。そこで、論稿で「触変」について自分なりの考えをまとめてみようとしたわけです。

直接的な答えにはなりませんが、論稿を書く中で寄稿される皆さんが人と文化の関係をどう考えているのかが気になりました。文化は人の行動様式や思考様式を規定するものという捉え方ができると思います。ですので、僕たちは文化に規定されているとも言える。しかし文化というのはもちろん可変的なものであって、僕たち自身の中で文化の変容を来すといった考え方も可能だと思うんです。文化と個々人の関係、文化の中における個々人の主体性といったことをどう考えるのか、ブルデューの論じるハビトゥスといった概念もありますが、いまなお非常に関心のあるテーマです。

僕自身はこのテーマについて人を出発点にして考えていきたいと思っています。人は文化に規定されている部分は多分にあるのでしょうけど、人があるきっかけの中で、それまで内面化され実践している文化を、その人自身の内面において変容させていくということもあると思うんですね。それが集合的になっていって文化全体に影響を及ぼすことになるのかなと。そうなると、やっぱり人と人が、特に意見の違う、思想の違う、また利害関係が対立するような人間同士が接したときには、何がしかの変化みたいなのが生じる、そのプロセスを捉えたいという思いがあります。それは、本来の使用法から逸脱しているかもしれない「触変」概念への僕なりの思いがあるからです。僕自身は平野先生が論じられる「触変」概念は記述概念、「文化触変」モデルも事象を記述する概念モデルだ

**土屋明広氏**

と理解しています。しかしひょっとしたらですが、「触変」は、異なる人、異なる文化が、触れ合うことで、程度は様々であるとしても「触変する」という法則性を意味する法則概念としても、そしてより強く「触変すべき」という規範概念としても使用できるのではないかと思っています。僕はどうしても被害者・マイノリティの立場から物事を考えてしまうので、加害者・マジョリティに対して「触変すべきだ」と言いたいという願望があるのかもしれませんが。

稲木先生のご指摘を聞いて、「触れる」という動詞あるいは動作は、僕たちを変わらざるを得ない局面へと連れ立っていく、そして社会や世界そのものを変えていく、といった意味を含むものと捉えることができるのではないかと思いました。これらの具体的な過程は、先ほどの川村先生のお話を踏まえれば、ミクロなレベルの観察から始まって視野を広げていくことで捉えることができる、ということになるでしょうか。とりとめのない話になってしまいました。

**小林**：非常に刺激的なお話で、皆さんそれぞれに何か、今の土屋先生のお話に関して「私はこうだ」というのをおっしゃりたいのではないかと思います。

今の話題は、触れることによって変わっていくとか、あるいは、仮に文化によって規定されている個人というのが、「触変」、触れることによって内面的にも変化していくというようなことにつながって。目次でいうと、次の「あいだ」という概念にも、おのずとつながっていく話かなと思います。

そこも含めた上で、私が個人的に感じたのは、例えば、今この学会でやっているICCO（文化交流創成コーディネーター）、これも学生たちの活動を見ていると、まさにフィールドワークをしながら、自分が選んだ相手の方々と接触することによって、彼ら学生はもちろん変わっていくと同時に恐らく言葉を掛けられた相手も、何らかの変化が起きるというようなことが生じているのではないかと、漠然と感じています。そういう特にフィールドワークをなさっているという立場で、例えば、桐谷先生、「ひと」という点で、個人の尊厳というところに力点を置いて語っていらしたと思うんですが、いかがでしょうか。

**桐谷**：聞き取り調査を軸にして研究を進めている研究者ですので、理論が先にあって資料集めをしていく、例えば、公文書館に行って集めていくのとは違って、聞いていく中で出会った、個人が大事に思う歴史を自分なりに探していくということに取り組んでいます。そういう話でいうと、聞き取り調

桐谷多恵子氏

査を通して、私自身がすごく変わってきたんですね。こうあるべきだという学問に対して、人が語るもの、人が大事に思うものを研究として描いていくってどうすればいいんだろうと悩みました。それは歴史に埋もれた個人の尊厳を掘り起こす作業のように思えました。それには、文学も哲学も必要であって、そしてもちろん宗教学も必要であって、生活の基盤をどうしていくのか、ですから、全ての学問が必要でした。何というか、私が聞きとりをしていく中で、私自身が変わってきたというのを、この10年間の国際文化学での学びで強く感じました。それはまさに聞き取りの中で、個人の尊厳を軸に議論するにはどうしたらいいのだろうと四苦八苦する中で自分が変わったということだと思います。すいません、答えになっているのか、分からないのですが。

## 2 「あいだ」

**小林**：そこのところは、特にフィールドワークをなさっている皆さん、共通の思いがあるのではないかと思います。今の話から、次の「あいだ」の話につながっていくかなと思うんです。

同じく、フィールドワークなさっている大和先生、特に「あいだ」というふうに仮に言ってみると、境界線とか際とか、あるいは動く主体とか、あるいは草の根運動と、まさにさっきの人と触れることによって変わっていくということと、この「あいだ」というのがおのずとつながる部分かなと思うのですが、その辺りいかがでしょうか。

大和裕美子氏

**大和**：そうですね、私は被害者・加害者っていう線引きで、追悼碑を作ったときに生じる問題であったりとか、加害者と一緒くたに言えない場面に追悼碑を作る人たちが直面して、その中、「あいだ」でゆらぎを感じながらできてきた追悼碑というものが、どういうものなのかを問う研究だったと思います。

**小林**：特に、加害者被害者の被害者の方の視点でたぶん当事者という問題が出てくると思うので、それを後半でまたお話しいただけたらと思います。

とりあえず、今の「あいだ」に関しては、これは多くの方が関連した事をおっしゃっています。一つは、国際移動、大きな意味での「あいだ」ですけれども、国際移動というような観点で趙貴花先生、少しお話をお聞かせいただけますか。

**趙**：私は人の地域間の移動や国際移動について研究していますが、人の移動においては常に変化が見られます。人と人が接する、文化と文化が接する時に移動が必要ですが、特に人の国際移動においては文化の接触による変化がよく見られる。ある文化とそれと異なる文化が接する時に、そこにはさまざまな壁が現れたり、それらの壁を乗り越えなければならないことがよくあるように思います。

皆さまがおっしゃった主体的あるいは動詞的な場面が、人の移動においてもますます顕著に現れている部分だと思います。移民は、過去において受け身的な存在として理解されることが多かったです。しかし、最近は国家間の人材争奪戦によって高度外国人材を確保するために優遇制度を設けたり、少子高齢化によって外国人労働者を積極的に受け入れようとする動きがあり、移動する人たちももっと主体的に移動先を選択したり、移動先の文化の受容や拒絶を行う現象が見られます。

個々人の内面においても、ますます多様化が見られます。例えば、1人が複数の文化的な側面を持っていて、私の研究対象である朝鮮族の場合は、日中韓の言語が話せてさらに英語もできる人もいるのですが、彼らの移動先は幅広くて、その中で例えば韓国に行った時や日本に来た時に自分の複数の言語・文化から、接する相手によって、自分の中から取り出すものが異なったりする複層性や選択性を持っています。それが、単に国家の政策や経済的な側面から捉える場合には、あまり

**趙貴花氏**

見えてこない部分だと思います。

そこで、私はますます個々人の内面に注目して、もっと掘り下げて考察したいと思いました。そして、その必要性を強く感じています。

**小林**：最後の方でおっしゃった、個々人の内部に複数の文化、複数の言語があるという、いわゆる「複言語」、「複文化」といわれることですね。私も非常に関心のあるところです。それと移動でしょうか。移動に伴う変化という、確か「移動と交流が人類を賢くする」という言葉を、どなたかおっしゃっていたかと思います。そんな事も含めて、目黒先生、今のことと関連、ハワイのことと関連させてもどちらでもいいですが、「分野横断」というようなことも書いておられましたが、お話を継いでいただくといかがでしょうか。

**目黒**：そうですね、『インターカルチュラル』に投稿させていただいた論文は19世紀のハワイ史に関わる研究なんですが、資料にしたものがマーク・トウェインというアメリカの作家が書いた『ハワイ通信』というもので、これ実はトウェインがハワイに行ったときの記録なんですけれども、フィクションなんですね。これまではこの作品は架空の人物が出てきていて、文学作品、フィクションの作品と捉えられてきたんですけれども、それをあえて歴史の資料にしてみようということをやってみました。

目黒志帆美氏

人文学の中では、歴史学と文学というのは完全に切り離されてきたという経緯があって、私も大学院のときは国際文化研究科に所属していたんですけど、ここでも両者を融合しようという試みは、なかなかなされてきていないという印象を抱いてきました。こうしたことから文学と歴史学をまたぐような分野横断的な挑戦というのがどんどんできるのが国際文化学というフィールドなんじゃないかなというような印象を持っています。

**小林**：今のお話で、先ほどの個人という観点からいえば、マーク・トウェインがフィクションとして書いたもの、まさにある意味では個人的な記録である、記録というよりも、個人的な主観も含めたもので、それが社会に与える影響という意味でも、何かさっきの話につながるかなという印象を抱きました。

鴨原敦子氏

では、鴨原先生、むしろ、あとのサステイナビリティとか、この辺、一番研究の中心で、後でその辺りをゆっくりお聞かせいただきたいと思いますが、今までの「個人」「ひと」あるいは「あいだ」というようなことに関連して、いかがでしょうか。

**鴨原**：そうですね、後半でお話ししようかと思っていた事に重なるんですが、今までの社会科学全般がフォーカスしてきた「あいだ」というのは、基本的に人と人の間であったり、人と国家、人と社会の間であったり、あるいは国家と国家というところだったと思うんですね。その時に特に「国家」という枠組みでは見落としてしまう人と人の間の事象を、捉え直すことができるのがこの国際文化学なんだろうなあと思ってきています。なので私にとって、ここはそういう意味では表出しやすい学会だったんですね。

ただ、研究を進めながらなんですが、今、現実社会で起きている事と、自分が取り組んでいる研究とを行ったり来たりしながら考えるときに、その視野の中で、やっぱり人と自然の関係とか、地球上の他の生命体との関係とか、それらの「あいだ」に社会があるっていう視野を、もっと入れ込んでいかなくちゃいけないのでは、というのが、私の関心なんですね。

なので、今後ヒューマンセントリックな研究でも、もちろんそこが非常に大事な部分ではあるんですけれども、その中に多様な自然環境や風土の中で、人の暮らしをいかに工夫し成り立たせていくのか、それがまさしく文化に内包されていると思うのですが、いかに社会を持続可能なものにしていくのかという観点からも、その視点は絶対切り離せないと思っています。人と自然の関係、その間に介在している社会のあり方をどうするかという時に、既存のディシプリンが社会の外側にあるものとみなして切り落としてきたものを、文化という概念の中に拾い集めて記述できる、そういう意味で懐の広い研究の場なんじゃないかなと、私はそういうふうに捉えています。

**小林**：とてもよく分かります。先ほど、土屋先生から皆さんにお聞きしたいと言っていた事がありましたよね。つまり、人は文化によって規定されるのか。人と文化との関係というふうに言っていいでしょうか。その事について、皆さんはどう考えるだろうかということで、間接的にそれに対するお答えのようなご発言もずいぶん出たかと思います。今、鳴原先生の方からも「人と自然」という対立、その中間項として社会というのを提示なさって、それを自然のことは文化とは言わないかもしれないけれども、大きく社会というところを文化と捉えて、「人と文化」というふうに捉える。その場合、土屋先生にもう一度確認したいんですが、先ほど、皆さんに伺いたいとおっしゃっていた要点というのは、人は基本的に文化によって規定されるものであるという考え方が一つある。その辺りをどう皆さんは考えるのかという、そういう疑問というふうに言い換えてよろしいですか。

**土屋**：そうですね。その中で文化が変容する、「触変する」というときに、人はどういうふうにそこに関わるというか、絡むと言うんでしょうか。その辺りを皆さんがどのように捉えておられるのかなと思いまして。

**小林**：今、皆さん、お話しになった中で、その関わりの中でどのように変容するかというようなことに関して、なるほど、そういう考えもあるかというような、何か気になった事はありますか。

**川村**：土屋先生と小林先生のお話を伺って考えました。文化は2つの見方でとらえられると思います。ひとつは法律や価値観など、人間集団のあり方を規定するものを文化と捉える見方、もうひとつは文化を人間によってつくられ集団から集団へと伝わる要素としてみる見方です。平野先生の国際文化論は2つの見方をミックスしている部分がありますが、文化触変に関しては後者のアプローチに近いと思います。

前者の見方で文化をとらえると、趙先生や皆さんがおっしゃったように、一人の人の中に複数の集団性ないし文化があって、人はそれらの文化を時と場所によって使い分けていると考えられるでしょう。たとえば、私は女子会に行ったときには女性、学会に行ったときには研究者として話をするといったように。そうやって文化を選び取ることで、もともと自分がいたところを超えて他者とつながることができるのかなと思います。

後者の、文化を要素として捉えるアプローチでは、外から伝わったものをもとの場所とは違った形で受け入れたり、工夫を加えて変化させたり、あるいはアーティストのように自分から何かを作り出したりすることによって人間は文化を動かしていくと考えられると思います。話がうまくつながっているかどうか分からないのですが、そんなことを考えました。

**小林**：うまく話をまとめていただいたように思います。先ほどの土屋先生からのご疑問に対して、他に何かもう少し聞きたいとか、言いたいということは、土屋先生を含めて皆さまからいかがでしょうか。

**稲木**：直接の答えになるかどうかわからないですけれども、土屋先生の「触変に人はどう絡むか」という問題について、そもそも日本人でも何人でもいいですけれども、いろんな人々がいる中で、それぞれの人々が触変に絡んでいるのか、関わっているのかどうかということを考えています。

私は原稿の中で、文化の比較と比較じゃないインターカルチュラルを、ある程度分けて考えました。例えば、文化を比べる、日本の文化と中国の文化を比べるというときに、ただ比べるだけで触変に参加しているかどうかということなんですけれども、それはちょっと怪しい気がするというのが私の印象です。

文化人類学者の船曳建夫先生の言葉なんですけれども、文化の理解を「知る形での文化の理解」と「生きるという形の文化の理解」に分ける、そういうふうにおっしゃっていました。文化の比較というのは、Ａの文化とＢの文化を比較して知ろう、知識として知ろうというのがあると思うんですけれども、果たしてそれで触変に参加しているのかどうか怪しいということです。

そうじゃなくて、Ａという文化、Ｂという文化を比較するだけじゃなくて、「知る形」ではなくて「生きるという形」で、その場に参加して自らが文化をつくっていくということが他方にあるのかなという感じがしています。その面で、国際文化学と比較文化学がどう違うのかということにも関わるんですけれども、やっぱり国際文化学というと、ある文化とある文化を比較するだけではなくて、生活の場所とか人々の場所にまで詰めて変容や触変などを考えていくというのが特徴としてあるのかなという印象を持っています。ただの個人的な見解ですけれども、以上です。

**小林**：今おっしゃった事と関連するかどうか、稲木先生の書いていただいた文章の最後の方に「文化論と関係論というのを並べた場合に、関係論の方がより大きな位置を占めるべきだ」というようなご主張もなさっていたかと思います。つまり今のご発言の言葉で言うと「知るだけではなくて生きる」というところに通じるような、動態的な考え方というのが基本にあるべきだというふうに理解させていただきました。

では、休憩の後、後半で具体的に「当事者」とか「教育」を中心に、ただしそこだけにこだわらず、今までの話の延長上に話を持っていくと、そんなふうに進めさせていただきたいと思います。

（休憩）

## 【第２部】

### 1 「当事者」

**小林**：では今から第２部の「当事者」という大きな括りですけれども、そこに一応、3項目「当事者とはなにか」という、ある意味、概念規定のような部分に続けて、具体的な事例として「教育」と「東日本大震災」というふうに目次には書きましたが、これを1項目ずつ分けてやっていくというよりも、当事者という視点で大きく括りながら、それぞれの立場でお話をしていただくのがいいかと思います。

それでは、始めましょう。まず、「当事者性」というところですが、これは恐らく、全ての皆さん、それぞれにおっしゃりたい事があると思います。

まず、サステイナビリティとの関係もあって、鴫原先生、「当事者性」ということをとても前面に出して書いておられたので、まず鴫原先生からお話をしていただいてよろしいですか。

**鴫原**：最初に個人的な話になるんですけれども、震災前は、私はインドとか「途上国」の環境問題をやってきていまして、フィールドワークが基本的な研究のスタイルだったんですね。そうすると、やっぱり現地に入って、自分は他者として、当事者の声を聞くということを、調査の中でやってきたんですが、震災があって、私は宮城県南の沿岸部にある市に住んでいるんですけれども、市の半分は津波被災で浸水し、他方で、福島の県境に近いことから原発事故の影響もあるというような、複合的な災害の地域に身を置くということになったんですね。

そういうことで、今度は自分自身が当事者になった。そうしたときに自分の立ち位置、それまでの研究を続けつつですね、「そこに身を置いて自分は何ができるんだろうか」という事を考えたときに、非常に立ち位置が定まらないというか。もちろん切羽詰まった状況で一市民としての活動をやってきているわけなんですが、やっぱりそれまでの研究のバックボーンの中から、非常にいろんな事を考える機会があったんですね。

その定まらないときに、あれは震災から何年後だったか、あまり記憶が定かではないんですが、すごく久しぶりに、いわゆるここの被災地といわれる土地から外に出て、学会に参加したときに、実はこの学会ではない別の場で桐谷先生の話を聞いたことがありました。ちょうど広島・長崎の復興をめぐるお話で、現地の人がどういう思いで復興に向き合っていたのか、どういう活動がされていて、どういう思いがそこから読み取れるのかというようなことを、お話されていたかと思うんですけれども。それを伺って、「そうか、今起きていること、自分が今やっている事というのは、もしかしたら半世紀後に、誰かがもう一度記録をたどって、ふたたび検証するときが来るのかもしれない」ということをすごく思ったんですね。自分の立ち位置が市民としてであれ、研究者としてであれ、今できることをやって、とにかく記録を残そうということを、そのときにすごく思いました。

そうやって現場に向き合うという、研究へのスタンスが何となく自分の中で固まったときに、外から「あなたは当事者です」「あなたは当事者じゃない」という線引きをするのは非常に難しいんですが、少なくとも今の自分にとっては、この問題に対して自分は当事者だという認識を持たなければ、問題を我が事として捉えられないということを感じました。これは必ずしも全てにおいて当てはまるわけではないかもしれませんが、私の中ではそういう向き合い方で研究をやっていこうという覚悟が生まれたということです。

**小林**：ご自身、自分は他者であって、別に当事者はいるというふうに捉えるのか否かというところ、みんな悩むところですね。今、お名前が出たので、桐谷先生、被爆者の声を残すのか排除するのかとか、あるいは他者である自分をどういうふうに捉え直すのかということを、ずいぶんお考えになっていたと思いますが、今の鴫原先生のお話を受けて、続きをお願いします。

**桐谷**：自分の研究が、東日本の大震災で被害に遭った方々に何か寄与できないかというのは、この10年の大きな自分の目標でもあったわけなんです。

私は被爆三世として、まるで悩みもないように報道されるのですが、いまだに自分が被爆三世であると公言するのに勇気が必要で、いつも何か覚悟を持って話すといいますか。被爆者とその家族、二世、三世って言われますけれども、私が生まれたときには祖母はすでに他界していたので話を聞く機会もありませんでした。家族にすら話していないというものを、孫という立場だけでは引き受けられないわけです。どうしたら他者が受け継ぐことができるのか。それを歴史として描いていくことができるのか。そして、本当にそれはできるのだろうかというのは、今でもずっと格闘しているわけです。つまり、私は当事者と他者のあいだで悩んできました。

一方で面白いのが、私の父が東京生まれの横浜育ちで、原爆体験とは関係ない立場にあるのですが、亡くなる直前に祖母から原爆体験の話を聞いているんですよ。原爆病院の病室で。ですから他者が行う役割というのも、明らかにあると思うんですね。「原爆体験を聞かせてほしい」と言った父が、その父に対して祖母が、母の母なので、全然関わりがないはずの、娘のボーイフレンドだった人に話をするというのは、何かやっぱり他者だからこそできる役割があって、その引き受け方が重要なのではないかと思います。そして我が家では原爆体験の継承については、父がいつもつなぎ役になってくれたんですよ。父が私たち娘に「実はおばあちゃんは被爆者で」という話を教えてくれました。なので、何かに関わってつなげる人というのは必ずいて、そういうものがやっぱり文化とも関わりがあるのかと思います。ですから、鳴原さんの今の活動も、人をつなげていて、いろんな分野でお話しされて広げていっているということは、大変貴重な役割だなと思って、いつも励まされて見ています。

つなげるという形、あいだの中でつなげる役割みたいな人も必ず必要で、それが私たち研究者の役割の一つでもあるのかなと考えます。

**小林**：研究者として、あるいはそれ以前にというべきか、人間としてどう生きるべきかという、そこに関わってくる根本的な問題だと思います。非常に心に響いてくる内容のお話です。

これはやはり皆さんにお話を伺いたいと思います。例えば、土屋先生もその当事者の視点、あるいはマイノリティとマジョリティ、あるいは差別、そういった視点で、先ほどの「触変」ということに関係して書いていらしたので、土屋先生、いかがでしょうか。

**土屋**：桐谷先生のお話は非常に考えさせられるもので、いますぐに正面から応答するのは難しいと感じます。ですから自分語り的なところから始めてしまいますけど、よろしいでしょうか。

「当事者性」について考え始めたきっかけは、大学院時代に紛争調査を始めたことです。ある私立高校を解雇された先生が解雇を撤回させるために学校相手に裁判を起こしたというので、活動のお手伝いをしながら調査、いわゆる参与型の調査をしていました。しかし、調査の過程で原告である解雇された人の気持ちに立とうとするのですけれど、イマイチ立ちきれない。調査しながら何故だろうと自問自答していました。困っている人や被害者に立つというのは、大事なことで否定するつもりは全くありませんし、今でも心掛けていることですが、調査者は当事者ではない、という単純な事実がどうしてもぬぐい切れなかったのです。

この経験から当事者ではない立場として当事者のことを考えるときに気を付けないといけないことがあると思うようになりました。このことは鳴原先生がおっしゃっていた事と関連しますけれども、僕は震災のときは岩手におりましたので、地震発生後の数日間は大事を取って避難所に家族と一緒にいたという経験があります。その後、被災した沿岸部にあるプレハブの学校に学生と一緒に教育支援に行ったりしました。そういう活動をしているからでしょうか、被災地のことを書いてくれ、話をしてくれみたいなことを言われることが何回かありました。でも、被災地での僕自身の部分的な体験を、被災地の実態として語ることに違和感があって、ある雑誌に「被災地を語ることは、いかに暴力的なことか」ということを書きました。被害に遭った人たち、苦境に立たされている人たちとたとえ何十時間話をしても、僕たちはその人たち自身ではないという事実は否定できません。しかも研究者として書く上で一つのストーリーに仕立てないといけない。そのためどうしても全体を切りきざんで再構成していくことになってしまいます。研究者が当事者のことを語るときは、この権力性を常に意識する必要があると考えています。

ちょっと取り留めない話になっていますけれども、当事者の視点というのは大事だけれども、同時に当事者の視点に立つ、と言うことに躊躇を覚えてもいます。当事者の視点を志向する、ぐらいの言い方のほうがいいのかなと考えています。

**小林**：たいへん示唆に富むお話だったと思います。つまり当事者の視点に立つことは不可能であるけれども、志向するところまではできると。

ちょっと思い出したのですが、2011年のあの震災の直後、いろんな人がいろんな事を言っていましたが、作家の池澤夏樹さんが書いていたことを今でもよく覚えているんです。「あの３月11日に日本にいた人は、日本のどこにいようと、誰でもが実は当事者なのだ」。そこで「当事者」という言葉を使ったんですね。話を戻して、再構成ということ、研究対象として語ろうとすると、何らかの再構成をしてしまうし、ある意味、暴力性もあるということ。そこのジレンマというのは、おっしゃるとおりだと思います。その辺りで、大和先生もやはり加害者被害者という視点でずいぶん接していらっしゃると思うので、その辺りどうお考えか、お聞かせください。

**大和**：私はフィールドワークを５年ほどしていました。朝鮮半島出身の炭鉱夫が日本の炭鉱で事故に遭って命を落としたという水没事故が長生炭鉱という炭鉱で起こったのが1942年。その炭鉱の犠牲者のための追悼碑を建てようとする運動に、自分も会員になる形で５年ほど付き添いました。

そこで私は何か逆に、被害者の視点に立とうとする日本人市民、韓国の遺族会というのがあって、韓国遺族という人たちが目の前にいたわけですけれども、その人たちの感情にあまりに自分が寄り添い過ぎてしまうところがあって。あくまで研究としてやるのであれば、距離を取らないと研究として成り立たなくなってしまうのかなと思って、そこは苦労したところでした。追悼式で遺族が来て涙を流すというシーンに、私も感情的な気持ちにならざるを得なかったり、涙を流しながら訴える遺族だったり、その遺族に寄り添う市民運動をされている人たちというのを見ると、なかなか距離が取れなくて、どうしたら距離が取れるのかなと、思ったこともあったのですけれども。

研究する上でどちらが望ましい自分の在り方、立ち位置だったのかなと、今でも思います。どうしてもやっぱり活動内部に入り込んでしまうと、心理的にも距離を保つことは難しいんですが、かといって保ち過ぎても見えてこないというか、そもそも内部の人に受け入れられない。「この人は別の目的で来ている人だ」ということで、本音を語ってもらえないということになると、本音を聞き出せない調査というのは、残念というか、うまく調査ができてないわけで、そういうところに私自身も「あいだ」で心も揺らぎながら研究してきました。

**小林**：自分の心自体においてとても深刻な問題ですよね。どう距離を取るかというのは、そうですね。

今、それぞれに実践なさる立場から、現場からのお話をしていただきましたが、いわゆる実践として、どなたか他に、聞き取り調査とか、そうではないにしても、今のお話と関連してご自身の研究とも絡めて、そのような当事者意識という点で、あるいは対象とどう距離を取るかという点でお考えになった事、それぞれあるかと思うんですが、お聞かせいただけたらと思います。

**趙**：さっき皆さまから、当事者視点についておっしゃったのですが、私自身の現地調査の経験から少しお話させていただきます。私の研究対象者は中国朝鮮族の人びとであって、私自身も朝鮮族といわれる一人です。外側から見ると、私は当事者視点を持ってこの研究に取り組んでいますが、その内部に入ると、私自身がまた当事者の中での他者だと感じることがよくあります。

例えば、外部から見た朝鮮族というのはある程度のイメージがあると思いますが、それに私自身が必ずしも当てはまるわけではないので、「私はちょっと違う」と思う時がよくあります。さっき、大和先生がおっしゃった「あいだ」というのが、私の中でもどこかでいつもあったように思います。それが、場合によって消えたり、また現れたりしますが、そうした一定の距離のようなものがあるからこそ、研究する時に自分なりの視点が持てるのではないかと思います。だから、当事者視点といっても、多様であって、複層であったりしますので、それに対して自分なりの捉え方、自分なりの見方あるいは自分なりの定義ができればいいのではないかといろいろ模索しています。

**小林**：いかがですか、当事者と一言で言ってもそれは多様であり、複数あるというようなそういう視点を持つと、より進めやすいのではないかというお話でしたけれども。

**高橋**：私は分野が違うからでしょうが、この「当事者になる」「ならない」という悩みが、自分の研究対象ではそもそも問題とならないため、聞いていて興味深かったです。

私の研究対象から言わせていただくと、文学というのはやはり他者の世界を自分のものとして生きるものだという認識があるのです。例えば、私は東日本大震災が起きたときに、岩手県釜石市のような激しい津波の現場にはおりませんでしたが、やはりそこを題材とした文学作品やノンフィクションを読むと、自分の中に痛みのようなものが生じます。私はフィクションや文芸は、そういった意味で非常に重要なものだと思うのです。もちろん、自分は他者にはなれませんが、他者を自分のこととして生きるために、文芸が自分を照らしてくれるものであるという気持ちがあります。後ほど教育実践の事例として紹介しますが、やはり文芸、芸術、人文学は、メディアすなわち仲介するものとして、自分と当事者の間に存在している。ここにあらためて目を向けると意義深いのではないでしょうか。

**小林**：つまり、他者性あるいは、当事者性というのを必ずしも実践の立場だけじゃなくて、例えば、文学の世界であるとか、そこでも全く同じように当事者性ということを考えるべきものがあるという視点かと伺いました。このことは、いろいろな立場からお話を伺えるとよいのですが、どうでしょう。

**桐谷**：先ほど土屋先生が、当事者を描くことの暴力性ということをお話しされていたんですけれども、私も実は今回、論文を書く時に内蔵がよじれるぐらい、苦しい思いをしました。お会いしたこともない人を、自分が描いていいのか、しかも原爆ということを題材にして。いつも思うのが文化を描くとか、当事者ではない人間が描くというときの暴力性ですね。ジェイムズ・クリフォードの『文化の窮状』でしたでしょうか。他者が来て、一方的に文化を描いて帰っていく問題性といいますか。被爆者の方が私におっしゃったんですね。「1、2回聞き取りに来て、論文だけを送ってくる人がいるんだよ。一体これをあなたどう思いますか？」と。まるで、〈私たちはあなたの業績づくりの道具ですか〉って聞かれているような心境でした。私は被爆者から2回もその関連の話を聞いて、〈研究者は一体何のために、私たちの悲劇の話を聞いて、何をしてくれるんですか〉と聞かれているように思いました。痛みをえぐっているわけですから。それを意識して、今回書く上で絶対に返したいというか、その痛みに全て応えられないかもしれないけれども、少しでも応えたい、というのがありました。私たち研究者が「当事者」を利用しないで文化を描くことは可能なのかということを、真剣に考えたいと思いました。今までの議論で出てきている内容と合わせると、「当事者」とか「他者」とか「文化」とか、そういったキーワードにはこの問題が執拗に出てくるのかなと思います。何か違うテーマになっちゃうかもしれないんですが、ただ土屋先生がおっしゃっていた事が、本当にそのとおりだなと思って、自分の中で思った事です。

**小林**：今伺っていて、ふっと思った事があります。桐谷先生が悩まれた事で、特にこういう聞き取りをして、そこから何をしてくれるのかと突き付けられるとのこと。当事者というか、対象の方に対して論文を書くときにどう応えられるのか、応えたいというふうにおっしゃっているのをお聞きしながら、私が思ったのは「応答可能性」という言葉です。応える力、まさにリスポンサビリティですよね。リスポンスできる力。日本語では責任と訳されますけれども、まさに学者の責任というところにつながる話かなと思っておりました。

**桐谷**：そうですね、文化を描く上で、責任というところがとても重要だと思います。

**小林**：この責任ということも含めていかがでしょうか。

**稲木**：私自身、当事者として何かに関わっているとかフィールドワークをしているわけではなくて、ただ日々中国で、中国人とけんかになってしまうとか、そういう当事者性しかないんですけれども、一言指摘します。

この点は2020年7月のこの学会の書面報告で書かせてもらった事でもあるんですけれども、作家の平野啓一郎さんが『私とは何か』という本を書いていて、その中で、個人、individualではなくて、「分人」、dividualということを提言されています。分断を超えるためにはどうするのかという問いについて、例えば、ある人が左のコミュニティに参加する、同時に右のコミュニティにも参加する、同時に所属することによって、それぞれのコミュニティの融和にも参加できるだろうというような事を書かれていました。先ほどの研究者の責任にも関わると思うんですけれども、一方の側に完全に「個人」として参加するというのはもちろんあるとは思うんですけれども、可能性としては、「分人」ということになるかどうかわからないですけれども、一人の「個人」の中で考えを変えて同時に複数のコミュニティに参加して、研究者の内部でインターカルチュラルな対話をするとか、そういう可能性もあるのかなというのを聞いていて感じました。

ただ、今私が言っているのは、当事者として参加していない無責任な発言なのかもしれないので、これは実際に参加している側からしたら、果たして本当に「分人」として複数のコミュニティに参加できるのかどうかというのは問われ得るのかなということも考えています。

**小林**：今おっしゃった考え方から、何かとても発展する議論がありそうな気がします。私も実は平野啓一郎が大好きで、ここは余談になってしまいますが、『決壊』とか『ドーン』とかいう小説の中で、分人という考え方が萌芽しているんですね。『私とは何か』の中で、Aさんと接するときの自分とBさんと接するときの自分が違っているのを、何か多重人格みたいでと悩む必要は全くないんだと、そのようなことも確か書いていたと思います。複数の自分というのがあって当然であると。さっきの複言語、複文化の話ともつながっていたと思うのですが、今、稲木先生がおっしゃってくださった、自分が実際に接するかどうかは別として、分人として、時には対象、時には研究者ということになるでしょうか。そうすることで、いわゆるインターカルチュラルという学というか、研究者としての立場を進めていくこと、あるいは対話していくことは可能なのではないかという、非常に興味深いご提言でしたが、その辺りいかがでしょうか。ぜひ、皆さんのご意見を伺いたいと思います。

**川村**：私も平野啓一郎の分人主義はとても好きです。分人主義は、受賞論文の中で引用したアマルティア・センの考え方ともつながると思います。

当事者性については、痛みを経験された方たちを対象に研究されてきた先生方のお話を、心をえぐられるような気持ちで聞いていました。

私の研究対象は、文化交流の活動をしている人たちです。そういう方々とお話をしていると、また違った当事者性が浮かんできます。日本で国際交流の実践をされている方々からは、「自分たちのしていることにはどういう意味があるのか。それをぜひ論文で書いてほしい」と言われることを経験しました。ドイツの文化外交の現場にいる人たちからは、よく「文化外交を研究しておもしろいんですか」と訊ねられます。それに対して、「いや、すごくおもしろいですよ。国際関係の中で文化がどのように捉えられているか。文化をつなぐ人たちがどういうふうに活動されているか。それを解き明かし、再構成することが大切だと思っています」とお話しすると、とても喜んでいただけたりします。当事者ではないからこそ、一歩下がった所で気づけることもあるのかもしれません。そしてそれを研究していくことで、当事者の方々にも喜んでいただけるというか、ご自身の経験や活動の意味を確認していただけるということもあるのではないかと思っています。

## 2　教育

**小林**：とても勇気づけられるご発言だったと思います。今、お聞きしながら、今日ここには残念ながらいらっしゃらないんですけれども、斉藤理先生がドイツでずいぶん長くフィールドでやっていらっしゃる、体験の共有というか、そこに戦争を語り継ぐという、それを自然な暮らしの中に行っているという運動のことを詳しく分析、調査なさっていました。その事もちょっと思い出しました。つまり、あなたの研究の意味はどこにあるんだということを、そういう中で発見していくということだと思います。

今のお話はまたおそらく、教育ということにもつながっていくと思います。実際に皆さん学生を相手にしていると思うので。あるいは学生じゃなくても、他の場でいろんな人と研究者ではない方々と接するというような場合もあると思います。もしよろしかったら教育というところにやや話題を絞って、今の話を続けたいと思うのですが、いかがでしょうか。

**趙**：今の当事者視点と直接関連があるか分かりませんが、多様性を中心に言語とつなげてお話しさせていただきたいと思います。

まず、平野先生の『国際文化論』に書いてある言葉を少し取り上げさせていただきます。「（前略）ある文化要素が文化触変を経験して初めて定着するのであり、文化要素が定着したときに、その文化は個別的である」そして「盛んな国際文化関係の中で一つ一つの文化が個別性を維持するとき、世界全体には文化の多様性が保たれて、その文化の多様性が文化の普遍性である」と書かれています。

この文化の普遍性というのは、一つ一つの文化が個別性を持つことで、全体的に多様性が保たれ、さらに一つ一つの文化が動的な状況にあって互いに接することで、文化の変化を起こし、文化の創造をもたらすという意味ではないかと思います。そうしたら、このような多様性をいかにして継続的に保つことができるのかと思うのですが、私自身は文化の多様性を保つことにおいて言語の果たす役割が大きいと思い、言語の多様性とその継承について考えてきました。多様な言語を習得し、使用することで、多様な人と接することができますし、多様な文化に接して、さらに新しい文化を創造することに繋がることができると思います。そうした言語の多様性というものを維持するには、多様な言語を使用する環境と、次世代への継承がなされないと、それが断絶される可能性があります。そうした多様な言語を使用する環境と言語教育環境は、社会によって、国家の言語政策によって大きく違ってくると思います。

しかし、地域間移動そして国際移動をする人びとを見ていると、限られた環境の中でのさまざまな努力や試みが見られます。この部分に関しては、やはり実践的な研究を継続的に行う必要があると実感しています。まだ結果というものは出ていないですが、移動する人びとの移動の中でどういう可能性があるのか、近代的な国民国家による近代的な学校教育がどういう意味を持つのかを見ています。

**小林**：「多様性」というところですね、文化を継承する、さらには言語教育あるいは政策によって新しい文化をつくるというところまでいくのか。あるいは文化の多様性を保つというような、その事と関連して、少し話は言語のこととは違ってくるかもしれませんが、土屋先生が「自省的な歴史認識というのが必要で、それを教育する必要がある」ということをおっしゃっていました。あえて、今の「教育」という枠組みで捉えてみると、その辺りお聞きできたらと思うのですが、いかがでしょうか。

**土屋**：自省的な歴史認識、この教育プロジェクトは僕がメインになってやっているわけではないので、まとまった事を話すのは難しいのですが、知り合いの社会科教育の先生たちに誘われて参加しているものです。

自省的な歴史認識の背景というか根本には歴史実践という考え方があります。歴史実践とは、僕の理解では、歴史を語る、歴史を分析するという営為は、いわゆる歴史学者に限定されているものではなくて、むしろ日常的な生活の中で一般の人々が行うものであって、それこそが歴史を紡ぎ出している、ということを指し示す言葉だと思います。

ですので、たとえば学校で歴史を勉強する子どもたち、日常会話の中で歴史について話す僕たち、こういった営為を歴史実践というのだと思います。おじいちゃん、おばあちゃんに昔の話を聞く、みたいなことも歴史実践であって、その瞬間瞬間に歴史が紡がれていくという考え方だと思います。この考え方を踏まえた自省的な歴史認識は、いわゆる自分たちがこれまで培ってきた、自分たちを規定しているような歴史の捉え方が、他者に触れる、他者とは人だけではなくて施設や史跡などのハードも含めていますが、他者に触れる、つまり歴史実践していくことで変容していく、このような歴史認識を意味するのだと思います。たとえとして一つ具体的なエピソードを紹介します。

2016年に弘前大学、岩手大学、秋田大学各大学の教育学部の日本人学生・中国人留学生と教員、中国の大学教員が一緒になって花岡事件の地である花岡のフィールドワークと授業づくりを行うという取組みがあり、オブザーバーとして参加しました。フィールドワークとして強制連行にまつわる歴史的な現場を見て歩き、現地で歴史を語り継ぐ活動をしている人たちの話を聞く。そして座学として、花岡事件を題材にした学校で行う授業の設計図、これを指導案といいますけれども、指導案づくりに取組みました。

日本人学生と中国人留学生が一緒に活動し、戦後責任の問題などを一緒に語るということもしました。将来教員になる学生たちの勉強の一環ではありましたが、教員側としては日中間にある歴史問題や戦争責任をめぐって固定化されたお互いのイメージ、日本人学生の持つ中国や中国人イメージ、中国人留学生の持つ日本、日本人イメージが一緒に史跡を回ったり勉強したりすることで、変容するのではないかという期待もありました。

しかしプログラムが終了したのちに一緒に参加していた先生が、報告書の中で日本人と中国人で認識の変容に差が出た、と書かれていたことが強く印象に残っています。その先生は中国人留学生の歴史認識が、プログラム前までの戦争で悪い事をした日本人と日本国家、謝らない日本国家というイメージから、日本の加害の歴史を忘れないように史跡を保存して継承していこうという市民運動の存在を初めて知ったことでかなりの変容を見せたのに対して、日本人学生は、もちろん中国と中国人イメージが変容した学生さんもいたけれども、その多くは「こういった歴史を伝えていくのは大変なことですね」とかですね、「子どもに教えるのは大変なことですね」といった認識にとどまっていた、と書いていたのです。

単純な比較になってしまいますけれども、中国人留学生の変容に較べて日本人学生の変容しなさみたいなものがあって、それが何に起因するのかをちゃんと考えていかないといけないと思いました。また日本人側の歴史認識を自省的な歴史認識に変容させるのは、もう少し仕掛けが必要かもしれないとも考えています。これはまだ継続的にやっていることなので、機会を見つけて国際文化学会で報告させていただければと思っています。

**小林**：楽しみにしております。今お話しになった、変容の仕方の差ということで、高橋先生が文化と文化の間の揺れ動きを実感させる教育ということを語っていらっしゃいました。そこのところお聞かせいただけますか。

**高橋**：まず前提から話させていただきます。自分の大学院生時代の文学との向き合い方が全てだと思っています。

ご本人を前に失礼しますが、指導教員である小林先生に、文学と人生の関係について、研究以上に言われてきました。今日の文学研究は、どうしても実証的な方向に進んでいます。例えば、生原稿の中のどこがどの主題につながっているかを考察するなど、実証性を求めることが主流になっています。そのような研究の傾向にあって、自分の人生と研究を突き合わせるということが非常に難しいのです。ですが、文学を読む楽しみはそこにしかないと思っています。私は小林先生の教えを受けながら、プルーストという作家が自分の目になってしまったわけです。何があってもプルーストをクッションにして、プルーストの視点で全て解釈してしまう人間が出来上がってしまいました。私は本当にプルーストで日常を生きていると思っています。

ふと考えると、私がやっていることは、フランス人で100年前を生きた作家の目で日本的なるものを見るということなのです。この単純な気付きが、私の作った「対自文化ベクトル」、「対異文化ベクトル」という研究方法につながりました。フランスの作家の影響を受けた日本人作家が、日本的なものを見たときに、フランス的な視点と日本的な視点が融合する。そこにフランスと日本を貫く何かが見出されるということですね。

そして、このようなメカニズムを教育の場で試してみたらどうなるんだろうと思ったわけです。私は法学部の1年生に対してプルーストをテーマとした講義を15週ぶち抜いています。授業中、必ずワークを挟みます。例えば、ユダヤの同化についてのプルーストの文章を読ませます。「フランスに同化したユダヤ人を、フランス人が異化する」という人間心理の描写を読ませた後に、学生に「同化した人を異化する人間の心理を説明しなさい」と指示します。すると面白いことに、学生たちはフランスのユダヤの事例の質問なのに、在日の人に対する日本人の差別意識を紹介するなど、日本の事例に転換して答えてくれるのです。つまりプルーストというフィルターを通すことにより、日本の事例に非常に気付きやすくなるということです。

このような取り組みを何のためにやっているかというと、先ほどのサステイナビリティのテーマに繋がるのです。私なりにこのテーマを現在流行中のSDGsに結びつけてみます。SDGsは、バッジを付けて終わるものではなく、ステイクホルダー（利害関係者）と自分の網の目のように多様な関係性に気付くことが重要だと思います。自分がSDGsの二十数個の到達目標の何番に当てはまるかという問題ではなくて、自分の中には複層的なものがあることを理解する。ひょっとしたら、自分ですら気が付いていないステイクホルダーと、どこかでつながっているかもしれない。可視化されないステイクホルダーを、文学によって可視化し、自分の身近な存在として認識することが、サステイナブルな社会の実現につながると思っています。そこで最近はSDGs系の研究者とタッグを組み、FDやワークショップを組み立てたてています。

同じような発想で、先ほど土屋先生がおっしゃったように、児童教育にも取り組んでいます。最近、奈良の飛鳥や橿原に地域の子どもを連れていき、文化財の中で子どもを学ばせる、といったことを始めました。自分が意識していない、1000年前の日本とのつながりを見つけることによって、目に見えないものが見えるようになる。そんな教育こそが、私が「国際文化教育」という言葉で呼ぶものに繋がるのではないかと思います。

**小林**：非常に刺激的な教育の現場を見せていただきました。ぜひ、それをまた発表で聞かせていただきたいと思います。

それでは、残り時間も少なくなってきたので、今サステイナビリティという言葉が出てきましたけれども、恐らく「東日本大震災」だけに限ったことではないですが、この辺りで、鴨原先生、まだお話しになっていない事がたぶんあると思うんですね。それから目黒先生もその辺りで、お話しなさりたい事があると思うので、その辺りを聞かせていただけたらと思います。

## 3　サステイナビリティ

**鴨原**：先ほどの「当事者性」の話にまたちょっと戻りつつ、ということになるんですが。やっぱりラベリングの問題と、自分が何ものであるかという、自分の中で認識する問題と、両方絡み合っているんですね。誰が当事者で、被災地ってどこなのかとか、被災者とは誰なのか、そしてこれは被爆者とは誰かというような問いにもつながると思うんですが、そういういろんな外からのラベリングと、実際の社会の中の内実というのが、必ずしもイコールで結ばれない難しさがあって、それに加えて自分自身が、自分をどういうふうに認識するのかというところも、またイコールではないんですね。

この間、いわゆる被災地に身を置いて非常に感じるのは、やっぱり被災地の中にも復興の過程の中で新たに加害被害構造が出てきていたり、非常に複層性、重層性がある。一人の人間の中にも、そういういろんなアイデンティティが折り重なってくる。

例えば、福島の原発事故の影響は、宮城にも実際あって、地域によって放射能汚染が及んでいるわけなんですけれども、その事を語ることが、自分たちの地域社会をおとしめることにつながるのではないかという見方もされてしまうんですね。それによって、自分たちの被害を、あえてそれを被害として語らなくなる人もいる。全体としては外から見たとき、「被災地」といわれる地域社会の中で、何を守るのか、何の再生を目指すのかという視点の違いが当然ある。地域経済を守るために、被害や不安の声を封じる社会の空気が、不安を語れないという被害を潜在化させ、人間関係や生活全体に派生していっているのが、現場の姿だなあということを、非常に感じました。

同時に、そういう状況をある意味、利用していく加害側があったりするわけです。例えば、それこそ外から「あなたは避難指示区域からの避難者」「指示区域以外の避難者」とか「自主的避難者」とかですね、あるいは支援法の対象地域にならなかったから「被災者じゃない」というように、政策的につくられていく被害の区分けから、支援の格差が生まれる。本人が、それを納得して受け入れられるものである場合より、むしろそうじゃない場合の方が多いんですけれども、それが地域社会の人間関係に非常に複雑に作用していて、結果的に原発事故そのものの加害主体の存在がぼやけてくるということを、感じています。

なので、被災者、当事者ということを語るときに、その大きな構図を意識的に語らないといけないなと感じています。大枠として、「復興」とか「絆」という言葉が、時にはそういう複雑な地域社会の状況や被害の内実を覆い隠す役割を担ってしまうことがある。そこをつまびらかにしつつ記述する作業というのが、まず必要なんだろうと感じています。

なので、私自身はまだ慎重になってしまうんですね、復興という言葉を使うことに対して。国家の責任、加害責任をやっぱり見えなくして、人々の生存と尊厳を守れる社会をどうつくるかよりも、震災を利用して国を立て直すことや経済再生を想起させてしまう役割があるのではないかと感じていて。

ただ、そうは言いましても、これまでの過程の中で、現状の復興へのアンチテーゼとして出てきている「人間の復興」が何を求めているかといったら、これ土屋先生の論文を読ませていただいたときに、国の加害責任に対して、「自らの生に対する無配慮への憤りがある」ということを書かれていて、非常に私は共感したんですね。復興のもとでそういう自分たちの命とか尊厳が、顧みられない状況が生まれてしまっているということは確かだと思います。未曽有の災害のもとで、「生きること」の再生を目指すはずの復興なのに、国の経済の持続性みたいなものが前面に押し出されてくる。そうやって復興の中で、経済といのちが転倒していく。そういう状況に対する問題意識をずっと持ちながらやってきています。

**小林**：とても重いことですが、今伺っていた中で、見えないものを見えるようにするという部分では、先ほど、高橋先生がおっしゃっていた、取り組みの中で可視化するというところにもつながっていくお話かなと思いました。

では、目黒先生も現地の人間としておっしゃりたい事があろうかと思いますので、お願いします。

**目黒**：私は石巻市にあります石巻専修大学という所に勤めています。本学、2011年の東日本大震災で6人の学生が犠牲になりまして、恐らくこの震災の犠牲者数でいえば最も多い大学だと思います。震災以降、毎年学生に対してアンケート調査を行っていまして「どの程度トラウマがあるのか」「うつ状態にあるのか」ということを調査しています。

今年のアンケート調査の結果がちょうど出たところなんですけれども、この10年、9年間で最も悪いというか、トラウマを抱えている、精神状態の良くない学生が今年はとりわけ多いという結果が出ています。この要因は今調査中なんですけれども、恐らくコロナ禍という状況の中で震災の記憶というのがよりえぐられたというか、負の記憶というのがより鮮明になってきているのではないかという、分析結果が出てきつつあります。

こうした中で、どういうふうに学生たちに接していったらいいんだろうかということを日々考えています。今年に入ってから、アメリカでBLM運動と呼ばれる人種差別に対する抗議運動が展開されていてそのことを今年に入ってから学生に対しての教育の中でよく扱うようになりました。グローバルな規模での人種やヘイトの問題というのを考えてみようという授業をよくやっているんですけれども、その中で学生の反応がとても良い。すごく共感する力があるなあと思いますし、鋭い指摘もあります。

負の記憶、震災の記憶を負っている、そういう学生たちだからこそ、何かマイノリティに対する共感、共感力のようなものがあるのかなと考えるようになりました。そこから学生の感性に希望を見出すような場面が何回かありました。ローカルな石巻という土地ですけれども、負の体験を、グローバルな問題を考えるときの前向きな思考力に生かしていけるような教育がしたいなと思って今、目下取り組んでいるところです。

## 【今後に向けて】

**小林**：まさに現場の今、現在進行形の重いお話を伺うことができました。予定の時間になりましたが、今から、今日のこの談話会を通じて、あらためて考えた事、あるいは今後に結び付けたいというか、そんなことをお一人2、3分ずつお聞かせいただけたらと思います。では、稲木先生から順番にお願いいたします。

**稲木**：最初に述べたことと似ていますけど、私の国際文化学との出会いというのは、国際文化学の「国際文化」という言葉に引き寄せられた面があるんですけれども、今の現在の人々が「国際文化」と聞いて引き寄せられるのかなというのが、私の日々感じている事です。文化を比較するとか、中国と日本は違うとか、中国の文化と日本の文化を比べるとか、そういう「比べる」とか「違う」とかそういうことはよく行われていると思うんですけど、比べて違いを発見して、それを強化していくような形で終わってしまうことを危惧しているところがあります。やっぱり国際文化学に期待するのはそれと逆方向というか、共通性を発見したり、対話によって新しい文化をつくりだしたりするということです。現状では、比較文化に比べると「国際文化」というのはまだ存在感がないような気がします。

ですから、冒頭の動詞の話ではないですけど、比較文化では「比べる」とか「違う」という強力な動詞があると思うんですけれども、それに対抗し得るような国際文化学が放つ素晴らしき動詞みたいなものがないかなということを考えていて、その一つとして土屋先生が書かれていたような「触れる」が候補になるとは思うんですけども、その他にもいろいろこれから考えていく必要があるのかなと考えているところです。

**鴫原**：サステイナビリティと絡めて、先ほどの震災の話と、今まさにコロナ禍という状況にあって、自分なりに今感じている事なんですが、目黒先生でしたでしょうか、「危機の時代にいる」ということを書かれていたと思うんですけれども、今年の4月から5月にかけてというのは、緊急事態宣言が二重で出されていた期間ですね。

実は震災の時に出された「原子力緊急事態宣言」というのはまだ解除されていなくて、だけどそれを自覚している人が、日本にどれだけいるんだろうかということを非常に強く感じています。もう10年たっても解除されていない、原子力の緊急事態が継続している中で、さらにコロナ禍での緊急事態宣言が発せられたと。

私自身が危機感を感じるのは、そういう常態化してしまっている危機的状況というんでしょうか、平時の中にそういうふうに危機が同居しているという感覚が、そういう自覚もないままにずっと続いている社会状況。そういう中で、何ができるんだろうかということを、ずっと考えてきていました。

一つ自分の研究のキーワードとしてずっと離さずに持っているのがサステイナビリティなんですね。先ほどの当事者とは誰かとか、被災者とは誰かという話と一緒で、やっぱりその主体が何か、何のサステイナビリティかというところが本当はもっと、本当に問われなければならないはずなんですが、実はそこがあいまいにされたままできている。

先ほど、SDGsのお話が出ましたけれども、そもそもSDがあって、MDGsがあって、SDGsが提起されるというふうに、歴史の中で変遷があるわけですね。もともとが資源の有限性であったり、南北間の格差構造であったり、そういう中で環境に非常に負荷の高い今の文化のスタイル、文明スタイルですか、西欧が発出してそれが普遍的であるかのように広がってきたような生活スタイルが、はたして本当に普遍的なのかという問いが、まずあったはずなんですね。それがどうも置き去りにされたままで、サステイナビリティのスローガンだけが掲げられてきている。実は使う人が好きなように使ってきていて、経済成長が持続することであったりとか、国民国家が持続していくこと、その国家がグローバル社会の中で国際競争に勝って優位性が持続することみたいな文脈で語られていたりとか、実はそこの議論を本当はもっとしなければならないのに、そこが抜け落ちていると思うんです。

そういう問題意識を持って、今この社会の中で私なりには、人間を取り巻く生態系と限りある自然環境の中で、生命（いのち）の再生産を支えあえる社会とはどんな社会かという一つの着眼点を、震災を経て自分の中で持ちたいなと思っています。サステイナビリティというのを、社会の中で何の持続可能性として捉えていくのか。それは文化的な多様性がちゃんと担保されている中で、それぞれの文化圏の中でも議論されなくてはいけないことなんじゃないかなと考えています。

そういう意味で私がこれから国際文化学とどんなふうに関わっていけるかというときに、今の生活世界で足元で起きている事と、グローバル社会で起きている事というのは、地続きの世界なんだということを認識しつつ、軸足を地元に置きながら世界を見渡して考えるのと、その逆とを繰り返しやっていきたいなと思っています。

それによって、先ほど、高橋先生がおっしゃったように、目に見えない関係性の網の目の中に自分が身を置いているんだということを、やはり可視化できるような、記述していけるような研究をしていきたいなと思っています。

**趙**：おそらく専門はそれぞれ違っていても、文化ということに関してかなり共通なところが多く、さらにそれを共有することで考えを深めることは、とても楽しいことだとあらためて感じました。

国際文化学という学問は、いろんな視点からいろんな学問分野からの見方をもって文化の現象を捉えることができる学問であって、国際文化学会がまさにそういう総合的な学問について議論を行うことができる場だと思いました。先ほど私は個人が内面的に複数の文化を有していたり、研究者としての当事者が内面的にもう一人の他者が存在することもあると言ったように、文化と文化が触れたところに新たな文化が生まれると思います。日本国際文化学会で進めている文化交流創成コーディーネーターに関するプログラムは、文化の新たな可能性を見出すことへの試みとして、素晴らしいことだなと再確認することができました。ありがとうございました。

**土屋**：今日は文化の捉え方とか、当事者性とか、「分人」というような考え方などたくさんのことを教えていただき、とても勉強になりました。

国際文化学の「触変」という言葉はすごく面白いというか、いろいろ議論できる発展的な言葉だと思っています。そしてこの言葉は国際文化学以外の研究分野でも役立つ概念だと思います。

たとえば犯罪の被害者と加害者を対話させるという取組みが刑事司法の分野にあります。修復的正義・修復的司法と言われる取組みです。それは、加害者に自分の為したことが被害者にどのような影響を与えたのか、どれだけ相手を苦しめたのか、その人の人生をどう変えてしまったのかなどを、被害者本人から聞かせて、自分の行為の意味を理解させるというものです。加害者は被害者に向き合うことで更生につながっていく。そして被害者側も自分の苦しみを加害者側が理解したことで立ち直っていくと論じられていますし、これは人と人とにおける「触変」と捉えることができる現象だと思います。だから「触変」概念は、非常に汎用性が高い。僕自身、研究のスタート地点は違いましたけれども、国際文化学とすごく通底している研究をやってきたんだなと思っています。ですので、座談会のはじめに国際文化学会には「居心地の悪さ」と「居心地の良さ」を感じていると言ってしまいましたけれども、「良さ」の割合の方が断然大きい、と今日の議論を通して実感しました。ありがとうございました。

**川村**：皆さんのお話を聴きながら浮かんできた言葉が2つありました。

一つは「自分ごと」です。たとえば、当事者の方の体験にしっかりと向き合うこと。それから最後に鳴原先生がおっしゃった、グローバルな課題と自分の足元の課題のつながりを考えること。他者の経験や、一見つながっていないように思えるものごとを、自分ごととしてとらえ返していく。それが国際文化学の視点なのだと思いました。

もう一つ、これは言い古された言葉ですが、「共に生きる」です。今、ウイルスとの共生ということまで言われています。居心地の良くない、自分に害を与えるかもしれないようなものとも一緒に生きていかなくてはいけない。そのような中でどうしたらいいのかを考える手助けになる、国際文化学とはそんな学問なのかなと考えました。

**大和**：いろいろなお話を伺いながら、とくに土屋先生がおっしゃっていた歴史実践の教育で日本人学生と中国人留学生の認識の変容に差が出たというお話を聞いて、自分の問題関心に引きつけてばかりで恐縮なのですが、日本人の市民運動というものが被害者の視点に立つということをしない人たちに対してどのぐらい触変を起こせたのかと思いました。残念ながら、あまり触変は起こすことができていないんじゃないかという気がするんですよね。

韓国の釜山に「国立日帝強制動員歴史館」というのがありまして、炭鉱の事故や慰安婦の問題を扱っているんですけれども、そこで日本の運動家のコーナーがあって、「こういう人たちが尽力してくれたんだ」ということが、運動家の顔写真とともに展示されています。韓国の人たちの市民運動家の懸命な姿というのが心に響いて、日本人に対するイメージというのを、認識を変容させることに、成功したことが示されていると思います。しかし、日本社会を見れば、追悼碑の碑文や追悼碑そのものをなくそうというような、ひどい場合は追悼式や追悼碑が建っているところがヘイトスピーチの場になったりしている。そういう意味では、被害者の視点に立つということをしない人たちに対して触変は全然起こされてない。ではなぜ、触変が日本内部の中で起こせなかったのか。被害者の視点に立たない人は、共感力が欠如しているのか、あるいは他の誰かの別の視点に立つが故に、被害者の視点には立てないのか。というような疑問が浮かんでいます。

今日は自分の専門が何であるか、はっきり言えない状態が続いているというお話から始めたんですけれども、この座談会に参加しておかげさまでこれからはどこのディシプリンに行っても「あなたは違うよ」と言われるようなネガティブな捉え方ではなく、ディシプリンの際、「あいだ」に立つということを肯定的に捉えることができそうな気がしています。

**目黒**：今年に入ってからこのコロナ禍でいろいろな変化があまりにも急激で、それについていくのが精いっぱいで自分の研究がどうとか、学術的な事をあまり考えられませんでした。

そんな中で、どうしたらいいんだろうと日々悩むことばかりで、悩むことが仕事のようになっているような状況なんですけれども、そんな中で皆さまのお話を伺えたのは、今後どういうふうに考えていったらいいのか、大きなヒントをたくさん得られることができました。本当に語り合うということが大事なんだなということをあらためて感じた、この時間でした。

**高橋**：平野先生が「生きるための文化」と書かれていましたが、私にとっては、「生きるための国際文化学」です。それは今回投稿した原稿の中でも述べています。

文学を専門にしようと思ったときに、その一方で「文学って専門になるのかな」と思ったことがあります。それよりも、文学は生き方ではないでしょうか。変な言い方ですが、例えば、「ロックは生き方だ」というような意味で、私は「文学は生き方だ」と思っています。

国際文化学も、ある意味で学問を超越し、生き方そのものに関わるのではないでしょうか。私は昔から、社会の中に自分を置いていると、すごくギシギシした感じがあり、非常に生きづらいと感じていました。もちろん自分にも原因があるのだとは思いますが、私にとってはそれが非常に差し迫った問題なのです。それを全国大会の大会テーマにさせてもらうつもりです。世界にはさまざまな壁が存在しており、その壁の中に閉じこもっている人たちが、お互いをマジョリティと認識し、マイノリティを排除することが、至るところで目につく時代になりました。SNSなどで可視化されていますが、イデオロギーに頭が乗っ取られ、他人を攻撃することに躊躇がなくなる人たちが非常に増えているように感じます。もちろん他者にはなりようがありませんが、私は文学に接してきた経験から、他者の人生を自分のものとして理解することができると思っています。それが可能なのは、自分と他者の間に、か細く同じものが光っているからなのです。仮にたった1カ所であっても、それに気づきさえすれば、他と連帯することや、他と分かり合うことは可能であると、ずっと思っています。

国際文化学は、まさにそれを認識するための学問です。それゆえに私にとって、国際文化学は生きることと同義なのです。同時に、社会を築いていくために非常に重要な学問だと思っています。だからこそ、私は「国際文化が専門である」ということを、変に思われたとしても、はっきりと言えるようになっていきたいです。

具体的な目標として、いつか全国大会を近畿大学で開催したいと夢みていました。しかしこの夢はいとも簡単に叶ってしまい、さらには大会史上初となる2年連続開催ということになってしまいました。

今述べた「壁」を議論するシンポジウムを、来年の7月にやります。これはゴールでも何でもなく、出発点としてやっていく。それが今、皆さんの話を聞いて思ったことです。まだまだ勉強しなくてはいけないことがあると実感いたしました。ですから出発点のつもりで、次のシンポジウムやらせてもらいたいと思っております。

**桐谷**：すごく楽しい時間でした。楽しくて、そして幸せな時間でした。何か私にとってはやっぱり国際文化学会はホームで、この緊張感が好きなんですよ。みんなが自分はここがフィールドじゃないと言いつつも、熱く語ってしまうみたいなのが、いつも国際文化学学会での議論で、ああこの感じが一番自分は居心地がいいなと思います。凝り固まった議論で、こうなんだとされてしまうよりも、「自分は違うんだけど」と言いながらも一生懸命模索して創っていくという感覚がいいですね。私たちが当事者として、当事者というか主体者として国際文化学を創っていく。先ほど、稲木先生のお話だと動詞について触れておられましたが、そう考えると、「国際文化学する」っていうのを行っているということなのだと思います。今まさに「国際文化学する」時間で、幸せで楽しかったです。

私は人間の尊厳、個人の尊厳というのが、自分のテーマだというのを、あまりお話しできませんでしたが、一人一人の可能性、一人が文化を変えていくんだというところをいつも考えています。被爆者の方からお話を聞いていて「当事者じゃない」なんて言ったら怒られたことがありました。「世界には核兵器がいまだに1万4000発もあるんですよ」、「いつでもあなたたちに落ちる危険性がある。あなたたちが被害者にならないために、私たちは話している」ということをお話しされました。その時に、自分たちもその問題の中にあって、そしてこれを解決するために一緒にやっている、だから「同志なんだ」と言われたことがあります。その何といいますか、今日も「同志」の皆さんと「国際文化学する」という場をつくれたということは、本当にありがたいことでした。特に司会者の小林先生に感謝しております。素晴らしくまとめてくださって、全てに的確なコメントを下さり、先生やっぱりすごいなと思って、今日の会を本当に嬉しく思いました。

**小林**：どうもありがとうございました。よかったですね、今日はやってよかったなあと思います。最初にも言いましたが、常任理事会でもいろいろアイデアを出していただきまして、今年は、大会も対面でなかったことだし、特集をどうするかということで、こういう企画ができて本当によかったと思います。私もとても感動しております。

今、最後に桐谷先生おっしゃった「楽しくて、幸せだった」という点は、私も全く同感で、皆さんもそうだと思います。この学会の一番良いところですね。

今日、皆さんのお話を伺っていてこんなことを感じました。今を生きる人間としてというのが、当然前提にあって、自分はどういう生き方をしているんだろうという事と、それから研究者としての自分がやっている事はどういうふうに位置付けられるのか。それが何に役に立つかという観点ではなくて、役に立つ、立たないということを脇に置いておいて、どういう意義があるのかということを常に模索しながら研究に携わって日常生活を生きておられると思うんですね。

先ほど、高橋先生が文学のことをおっしゃって、私ももともと文学研究なのでふっと思い出したのが、やっぱりプルーストなんです。つまりプルーストを論じるときに、生活者プルーストとそれから文学者、作家プルーストという、いつもその2つの視点があって、プルーストの書いたものがそのまま彼の実人生ではないけれども、しかし実人生を常にそこにはらんだ生活者プルーストと、作家プルーストの作品とがいつも裏腹で、それが同じ「わたし」という言葉の中に含まれている。そんな事を思い出しながら、皆さんお一人お一人がまさにご自身の「わたし」の中にそういういろいろなものを含んで、その「複数性」のせめぎ合いというか、あるいは協調性かもしれないし、それを常に自分で意識しながら、何をどういうふうに考えていったらよいかと模索し続けていらっしゃると感じました。

そしてもっと言えば、平野先生もおっしゃっているように、国際文化学が目指すところはやはり平和であり、究極はそこだと思います。そして、そのための多様性であると。それを『インターカルチュラル』の創刊号で「それがわれわれの国際文化学に突き詰けられた難問である」というふうに書いていらっしゃいました。「難問である」というところは今も続いているかと思いますが、一人一人がその難問を難問として真正面から受け取って、常にそれを背負い、あるいは掲げながら世界に対処していくという、その姿勢が何かとてもまぶしいなあと思っております。

本当に今日はご協力ありがとうございました。本当に良い場ができてよかったと思います。これがどこかの会場に集まっていれば「じゃあ皆さん今から飲みに行こう」ってなるんですけれども、それができないのは本当に残念です。この画面を消してしまうのはとても名残惜しいですが、時間です。来年どういう状況になっているか分かりませんが、高橋先生が、先ほどおっしゃっていたように、大いに張り切って準備していただいていますから、ぜひとも来年は対面で皆さんと、また学会のほかの皆さんともお会いして、盛り上がっていけたらと祈念しております。

では、皆さん、まだまだ厳しい状況が続きますけれども、それぞれにまず健康に留意して、ご自分の、そして世界の幸せを追求しながら、それぞれのお仕事に取り組んでいただきたいと思います。

今日は本当にありがとうございました。では拍手でお別れしましょう。また会える日を楽しみにしております。皆さんさようなら。

**全員**：ありがとうございました。

[研究論文]

# 1940年〈東京オリンピック〉返上と日中米IOC委員のオリンピズム
## —王正廷とエイブリー・ブランデージを中心に

**菅野敦志**
*Atsushi SUGANO*
●公立大学法人名桜大学
国際学群上級准教授
(東アジア地域研究、
台湾／中国現代史)

●**キーワード**　東京オリンピック返上、オリンピズム、王正廷、エイブリー・ブランデージ

《主な章題》

1．はじめに
2．中国籍IOC委員王正廷による東京大会への抗議と中国のオリンピック観
3．王正廷の中止要請と米国籍IOC委員エイブリー・ブランデージの開催擁護
4．「オリンピア」の創出——ブランデージと1936年ベルリン大会
5．オリンピズムと日本側IOC委員——嘉納治五郎と副島道正
6．むすびにかえて

### 1．はじめに

本稿は、1940年〈東京オリンピック〉返上をめぐる経緯について、主に国際オリンピック委員会（IOC）における日本・中華民国・アメリカの代表委員およびそれぞれの「オリンピズム」の解釈の相違に着目して検討を試みるものである[1)]。

一騎打ちとなったヘルシンキを破り、1936年に東京が1940年第12回オリンピアード（競技大会を含む4年間を指す）開催地に選ばれた。だが、アジア初のオリンピックとなるはずであったものの、選出から2年後の1938年7月15日に東京大会の返上は決定された[2)]。この理由については、日本側の研究を中心に、日中戦争への物資調達という軍部の圧力があったことが知られている。一方で、中国側の研究が示すのは、日中戦争での日本軍の残虐行為に激しく抗議した中国籍IOC委員の王正廷が他国の委員に行動を呼びかけて東京大会開催を中止させた、とする見解である。つまり、同大会は日本による主体的な返上ではなく、あくまで中国が国際世論に訴え、日本軍国主義には平和の祭典を開催する資格がないとして拒絶された、という理解である。

この点について、例えば日本開催に対する抗議の電報が150通寄せられ、東京大会が各国による参加ボイコットに見舞われる可能性があった事実は日本側の研究でも指摘されている[3)]。とはいえ、日本の自主的返上論にせよ、中国側委員の外交工作による中止論にせよ、これらは日中双方に1940年〈東京オリンピック〉中止の歴史をナショナル・ヒストリーの文脈による一面的な理解に終始させてしまう危険性を孕んでいる。なお、結論を先取りすれば、確かに東京大会へのボイコット運動は

あったものの、そうした反対派の主張はオリンピズム理解の相違によって認められなかった。それでは、両者の仲介に入った"間"の存在から検証した場合、東京大会中止およびボイコットの主張は、いかなるオリンピズム理解に立脚して否定されたのであろうか。

上記の問いに答えるため、本稿では新たな一次史料なども活用しつつ検討を進めていく[4)]。その際、東京大会中止を訴えた中国籍IOC委員の王正廷と、彼に反対の立場をとった米国籍IOC委員――戦後にアメリカ人として唯一のIOC会長となり、1964年東京オリンピックを実現させた――エイブリー・ブランデージ(Avery Brundage)の二人の存在に特に焦点を当てて、日中米のIOC委員三者の関係から本課題を改めて検証してみることとしたい。

## 2．中国籍IOC委員王正廷による東京大会への抗議と中国のオリンピック観

1936年7月31日、IOCは無記名投票により、1940年の第12回オリンピアード開催地を東京に選んだ(東京36票、ヘルシンキ27票)。しかし、翌年の1937年に日中戦争が勃発したため、日本での大会開催への風当たりは強まることとなった。

1937年11月には、上海において「中華全国体育界救亡協会」が組織された。同協会は、日本の中国に対する侵略行為を非難したイギリスの体育協会を始め、アメリカ、フランス、フィンランド、スウェーデン、ベルギー、スイス等の体育組織と積極的に連携して、日本で開催予定のオリンピックを中止に追い込むべく活動した、とされる。

結果的に日本は東京オリンピックを返上した。その原因については、王培・劉延兵・李瑜編『百年中国奥運之路(オリンピックの)』(北京、華文出版社、2007年)[5)]に代表されるように、中国側の研究では中国側の抗議が発端となり、1922年に中国最初のIOC委員となっていた王正廷[6)]による働きかけならびに彼が送った電報が大きな効果を発揮したとして、次のように記述されている。([　]内は引用者)

> 事実、IOCのカイロ会議において、日本の中国侵略に対して強烈に抗議し、世界平和を壊し、オリンピック精神に背く罪悪行為であることから、日本が東京で主催するオリンピック大会の権利を剥奪すべきことを、ある人物が確かに呼びかけた。
>
> 続けて、IOC委員会は検討の結果、日本が東京で開催予定であった第12回オリンピック大会の資格を、1940年7月20日から8月4日にフィンランドのヘルシンキで行うことに変更するとともに、その旨を中華全国体育協進会に対して正式に通知し、中国の参加を招待した。
>
> これを受けて、王正廷と張伯苓[同協進会創設者]は全国体育会議を開催したが、[東京オリンピック中止の知らせに]皆が歓喜するとともに鼓舞され、

中国が全面的な抗日戦争のなかにあって、世界平和を理念とするオリンピックに運動選手を派遣することに深遠な意義があることを全体一致で認めるに至った。[7)]

同書では、中国側の抗議がIOC委員会を動かし、IOCが東京でのオリンピック開催を中止させた、とされる。その後の記述においても、「中国体育界がオリンピックの理念を積極的に守り、世界平和を勝ち取るべく、第12回オリンピックを主催しようとする日本の言行を抑え込むために起こした行動は、国際体育界から支持され、尊重された」と記されており、日本が東京大会を返上したのではなく、あくまで中国が国際世論に訴え、世界平和を基軸とするオリンピックに日本の軍国主義路線が否定されたという論旨となっている[8)]。結果的に1940年の東京オリンピックは開催にいたらなかった。だが、上述のような中国籍IOC委員の王正廷による電報や工作は、実際にはどれほど功を奏したのであろうか。

1938年3月13日に、エジプトのカイロでIOC総会が開催された。議事録には、確かに王正廷による抗議の電報が寄せられていたことが記されている。王による電報は、3月8日の日付で、「国際オリンピック委員会の会長および委員」を受取人として、ワシントンD.C.から送られていた。

私は、国際的な競技大会が国際親善と世界平和を促進することを深く信じ、それゆえに、私は人生の30年以上をこの仕事に捧げてきました。また、その国の軍部が、正式に締結した条約を故意に破棄し、平和な隣人に対して侵略的な戦争を仕掛けようとする国には、世界的なオリンピック大会の開催地としての価値はないと、私は心から信じております。私は重要な仕事のために、今回の会議に出席することができませんが、しかし私が信じているのと同じ感情を有している人と共に、私の声を共有させたいと希望します。…[9)]

王正廷は戦争で日本が及んでいる残虐行為をあげ、東京大会開催に対して異論を呈したが、ここで示されていたのは、「国際親善と世界平和を促進する」オリンピックが、侵略戦争を進める軍事政権が支配する国家によって取り仕切られるべきではない点を根拠とした東京大会中止の要請であった。

そもそも王正廷は、東京がオリンピック招致活動を展開し、1936年のベルリンでのIOC総会で投票が行われた際には、賛成に一票を投じていた[10)]。だが、自国が日本からのさらなる侵略にさらされ続ける現状を受け、一転して東京オリンピック反対運動の旗手となったのである。だが、中国では早くからスポーツが政治化されていた背景があったばかりか、日本による傀儡国家である満州国が建国された後は、同国を承認しない中国との間で満州国参加問題の対立が生じていた[11)]。西洋の「覇道」ではなく、東洋の「王道」による日中協力の必要性を強調していた王正廷にとってみれば[12]、日本が中国に対して仕掛け続ける"挑戦"に対し、国家主体の立場からオリンピックをホストする資格について訴えようとしたのも当然のことであった。外交官としての国家を代表する公的な立場にあった王にとって、オリンピズムに体現される「平和」とは、実質的な平和の維持に努める国家が前提とされなければならなかったといえよう。

さて、IOC総会では、王によるこの電報は議長によって紹介された。しかしながら、「東京大会を中止とする根拠がIOC憲章の規定に存在しない」として、議事録には簡潔に示されるに止まっており、議題にはとり上げられなかった[13]。IOC会長であったアンリ・ド・バイエ=ラトゥール(Henri de Baillet-Latour)の優先事項は、日本が大会の準備を間違いなく進めることができるのか、政府の支援は確実であるのか、もしできなければ何千という選手やIOCのためにも返上を促すという点であり、「王の声は届かなかった」のであった[14]。

### 3．王正廷の中止要請と米国籍IOC委員エイブリー・ブランデージの開催擁護

だが、王正廷は東京大会開催中止の要請を止めることはなかった。アメリカIOC委員としてのエイブリー・ブランデージに対し、1936年から38年まで駐米大使であった王は、1938年6月11日付けでワシントンD.C.の中国大使館の便箋を用いて抗議と要請の書簡を送っている。1936年からIOC委員となっていたエイブリー・ブランデージは、全米のアマチュア競技連盟(以下、AAU)会長だけでなく、アメリカ・オリンピック委員会(以下、AOC)会長を務める、アメリカのアマチュア・スポーツを最も代表する人物であった[15]。王は、過去や現在において戦争や侵略に無関係な国でしかオリンピックの大会開催が認められないとすれば、大会の実施は不可能とのブランデージの声明文を報道した『ニューヨーク・タイムズ』の記事に驚愕し、その日のうちに書簡をしたため、以下のような"検討依頼"を申し述べていた。(下線、[　]内は引用者)

> …私が考えるに、自身の国の過去を誇りに思える国が少数であっても、それはわれわれが文明をより高いレベルへ引き上げる努力を怠ってもよい、ということにはならないでしょう。<u>国際競技大会を実施する真の目的とは、国際理解と世界平和を促進させること</u>です。目下、われわれが目の当たりにしている日本の中国に対する現実の行為とは、都市を爆撃し、市民――男、女、子どもたち――を何千人も殺傷し、重傷を負わせるものです。もし、アメリカ人がこうした残虐行為に異を唱え、国務省による強い抗議を後押ししようと望むのであれば、あなたの[AOC]委員会が1940年に東京で開催予定の大会への不参加を公的に表明する道は開かれている、と私には思えます。[16]

王正廷は、日本が中国に対して行っている「残虐行為」をアメリカ国務省が抗議するためにも、ブランデージが会長を務めるAOCが「1940年に東京で開催予定の大会への不参加を公的に表明」、すなわちボイコットすべきであると訴えた。王はこのように述べたうえで、続けて「アメリカの人々のスポーツマンシップ、フェアプレイと正義感を深く信じ」ているとくぎを刺しつつ、自身が「中国政府の代表」としてではなく、「40年近く運動競技を推進してきた者」としてこれらの点を申し入れる旨を述べたのであった。

では、王正廷が問題視し、抗議の書簡を送付することとなったブランデージの声明文とはいかなる内容であったのか。同声明文は、日中戦争により東京大会中止を主張していたアメリカ人委員のW. J. ビンガム（William J. Bingham）と真っ向から対立するブランデージが、ビンガムのAOC委員辞職に対してマスコミに向けて発表したものであった。王が『ニューヨーク・タイムズ』紙上で目にしたブランデージによる声明文の全文は、日本のオリンピック開催が戦争という理由で中止されるものではないことを説明する3ページに及ぶ長文であったが、その一部を抜粋して紹介したい。（下線は引用者）

> …AOCが関心を寄せるのは、アマチュア・スポーツに対してだけである。（略）…我々は、少なくとも現在の世界の状況下において、オリンピック運動（Olympic Movement）が国家の命運を規定するようなことを期待してはならない。この点に関して、ある人の思考において混同が生じていることを残念に思う。（略）
>
> 結局のところ、これまで数多く指摘されてきたように、オリンピックの大会とは、国際的に組織された委員会とその連合組織の完全な管理下において運営される国際的なイベントである。（略）大会がたまたま日本で開催されるとしても、ロサンゼルスで開催された大会がアメリカのものでなかった以上に、その大会はもはや日本のイベントにはならないのである。[17)]

ここでブランデージは、オリンピックがアマチュア・スポーツのためのイベントであり、AOCが政治に介入することがあってはならない点を指摘していた。また、ロサンゼルスで開催されたオリンピックの大会がアメリカの専有物として見なされるものではなかったのと同様に、IOCの完全な管理下で運営される大会は、日本で開催される大会であっても、それはもう“日本のものではない”のだと述べていた。この点はきわめて重要な観点であったといえるが、続けて、ブランデージは東京大会擁護の理由について、次のように述べていた。（下線、［　］内は引用者）

> …もし国際オリンピック委員会が、過去および現在に至るまで戦争や侵略と何ら関わりがない国でしかオリンピックの大会が開催できないのなら、そもそ

も大会の実施自体があり得なくなるだろう。4000年前のファラオ［王］たちの下でのエジプト、クセルクセスたちの下でのペルシア、アレキサンダー王の下でのギリシャ、シーザーの下でのローマ、サラセン人やその他はその時代の世界の大部分を侵略し、征服した。その最終的な結末は、必ずしも悲惨とはいえなかった。グスタフ2世アドルフの下でのスウェーデンはヨーロッパ北部全域を手に入れ、ナポレオンのフランス外人部隊は多数の異なる国からなる軍隊を撃退した。（略）歴史とは、5000年に及ぶ征服と圧迫の記録であり、20世紀に入っても、人類から野蛮さを除去することができたとは到底いえないのである。

もしオリンピック大会が1940年にロンドンで開催されるとして、開催時に英国が戦争の只中にないという保証はない。アメリカでの開催が認められた1916年、われわれは戦争を回避すべく大統領を選出したはずであったが、翌1917年には［第一次世界大戦の参戦により］かなりばつの悪い思いをすることになった。…[18]

ここでイギリスをあげているのは、東京大会ボイコット運動の先頭に立っていたのがイギリスであったからであろうが[19]、以上のように、ブランデージは自国アメリカの例も引き合いに出しながら、戦争によってオリンピック開催が中止されるべきでないことを強く主張していた。とはいえ、「平和の祭典」として認識されるはずのオリンピックが、戦争という他国の侵略および殺戮行為から距離を置くような形で認識されていたのはなぜか。日本（東京開催）を支持していたIOC委員には、ブランデージと同じアメリカ籍のIOC委員で1932年ロサンゼルス大会の功労者として知られるウィリアム・メイ・ガーランド（William May Garland）以外にも、チェコスロバキア、ポーランド、ハンガリー、ベルギー、フランス籍の委員などがいたが[20]、上述したようなブランデージの言動は、彼独自の考えであったのか、はたまた、オリンピックに内包された理想を具現化するようなものであったのか。この点については、先の1936年のオリンピック・ベルリン大会が直面したボイコット運動と、同運動に反対したブランデージの言動に焦点を当てることで、答えを導き出すことができるだろう。

## 4．「オリンピア」の創出——ブランデージと1936年ベルリン大会

1936年の第11回オリンピック・ベルリン大会は、ドイツにおけるユダヤ人差別への反発から、アメリカではベルリン大会ボイコット運動が盛んとなった[21]。だが、ブランデージはユダヤ人競技者が差別なく競技に参加できる自由の保障が確認できたとして、ベルリン大会への参加にこだわり、ボイコット運動を排した[22]。もし、このブランデージの主張を「スポーツの中立性」としてのオリンピズムの典

型として理解するならば、オリンピックの大会には現実の国際関係や民族関係といった軋轢や衝突からの自由が保障される「オリンピア」[23]の創出が求められていた、といえよう。この「オリンピア」は、ホスト国の元首や権力者といった、いかなる力を擁する支配者であっても介入不可能な“架空の主権空間”として創出されるべきものであった。

この点について、ブランデージはベルリン大会の際にもIOC会長の座にあったラトゥールがヒトラーを相手取って組み伏せた次のような事例をあげていた。1936年の冬季オリンピック大会はドイツのガルミッシュ・パルテンキルヘンで開催されたが、競技施設の周辺で「犬とユダヤ人ははいるべからず」という立て札が数多く立てられていた。これを見たラトゥールが、総統であったヒトラーに「オリンピック精神に反している」として指摘したが、ヒトラーは「主人のやり方に注意するのは失礼」と拒否した。それに対してラトゥールは、「五輪の旗がスタジアムの上に掲げられると、もうそこはドイツではないのです。そこはオリンピアで、家の主人はわれわれなのです」と返答したところ、立札はすぐに撤去されたという[24]。

ラトゥールは、大会の主導権が国家によって握られることのないよう、ヒトラーに苦言を呈したが[25]、ブランデージはこれを「オリンピック運動の一つの大きな勝利であった」と回想し、自伝のなかでも当時を振り返り、「スポーツは政治を超越するものであり、われわれはスポーツ以外の目的のためにオリンピックを手段や武器として使うことは許されないと考えていた」と述べていた[26]。アメリカ経済・ジャーナリズムの中心であるニューヨークはユダヤ人が多いこともあり、反対運動も根強かった。しかしながら、ブランデージの尽力によってAAUでは参加派がボイコット派に打ち勝ち、アメリカ選手団はベルリン大会ボイコットを回避することができた。

本来、近代オリンピックの創始者であるピエール・ド・クーベルタン（Pierre de Coubertin）が説いたオリンピズムの一つの特徴には、「偏狭な国民感情」を抑制するとともに、「一時休戦」によって眼前の競争を競技に置き換え、平和への推進力に転化させるという理想があった[27]。「クーベルタンの遺産の熱狂的な守護者」[28]であったブランデージは、アマチュアリズムとスポーツの非政治化にこだわり続けた[29]。こうしたブランデージの態度と行動については、初代IOC会長のクーベルタンからIOC会長職を譲り受けたラトゥールに見込まれ、そのラトゥールから彼がIOC委員への就任要請を早くから受け、きわめて親密な間柄にあったことにも理解できるだろう[30]。

ただ、中村哲夫によれば、当初のブランデージはナチスが率いるドイツに批判的であり、ユダヤ人競技者への差別に対する危惧を示す側にいたという[31]。しかしながら、「ナチスに打撃を加える武器として大会を利用したがっているユダヤ人」といったスポーツを政治利用しようとする勢力からアマチュア・スポーツとオリンピックを守ろうとする姿勢へと変化をみせ、批判を受けながらもアメリカ・チームの参加を主張し、AAUにおける合意を取り付けていった[32]。ここでブランデージの見せた「スポーツの中立性」としてのオリンピズムは、クーベルタンのオリンピズムの忠実な実践者であったからこその認識とみることもできよう。この点は、実現はしなかったものの、戦後に彼が排他的愛国主義に基づく狭隘なナショナリズムを排する目的において、各国の国歌国旗に代えて共通の統一歌と統一旗を使用する「国歌国旗廃止案」をIOCで主導していったことにも明らかであった[33]。

ただし、ブランデージが一線を画していたのは、クーベルタンのオリンピズムの忠実な実践者であるだけでなく、選手主体の視点を持ち合わせていたからでもあった。それは、かつてオリンピアンであり、オリンピックでメダリストとなる期待がかけられた大会が戦争で中止になった、ブランデージ自身の経歴と苦い経験に由来していた。1936年ベルリン大会ボイコット運動を乗り切るべく奮闘していた当時の心境について、ブランデージは自伝のなかでかつて五種競技および十種競技の選手であった自身の姿と重ね合わせながら次のように回想していた。(下線は引用者)

> スポーツ選手たちにしてみれば、オリンピックが政治的紛争に巻き込まれる理由がわからなかった。ユダヤ人も含めて誰もがオリンピックの参加を望んだ。<u>自分にとってこれが最後になるかもしれないオリンピック出場のチャンスを、誰もが逃したくなかった。私には彼らの気持がよくわかった。</u>私も、十種競技の選手として、1912年のストックホルム大会のアメリカ・チームの一員として参加したが、その時はまだ入賞の実力はなかった。その4年後の1916年も2度目のオールラウンド競技のチャンピオンになり、今度はオリンピック優勝も夢ではないほど力がついていた。<u>ところが1916年のオリンピックは戦争で中止になってしまった。そして平和が訪れた1920年にオリンピックは開かれたが、もうそのとき私は選手として峠を越してしまっていた。</u>[34]

ここでブランデージが述べていた1916年のオリンピックとは、第一次世界大戦によって中止となった“幻のベルリンオリンピック”(第5回大会)であった。奇遇にも、自身がオリンピックメダリストとなることをかつて夢見た幻のベルリン大会が再び20年後に巡ってきたのであったが、ブランデージはボイコット運動に直面した選手たちに若き日の彼自身が味わった絶望と失意をだぶらせていたのだといえよう。

## 5．オリンピズムと日本側IOC委員——嘉納治五郎と副島道正

以上、1936年のベルリン大会をめぐるボイコット運動とブランデージの対応をみてきた。こうした背景からも、開催国が戦争を発動した責任によって東京大会が中止に追い込まれるべきとする王正廷の異議申し立ては、受け入れられるものでは

なかった。それは、オリンピックに独自の論理が内在化されていたからこその結果であったが、オリンピズムが多義的であり、多様な解釈を可能としたからこそ、中国側の研究との間にみられたような歴史解釈の相違が生み出されたともいえよう。

とはいえ、王正廷の場合は、中華民国の外交官としての立場にあったことが、彼の思考の枠組みを決定的にしていた。外交官であるからこそ、IOC委員が国家を代表し、スポーツを介して自国の国益を守るための外交を進める立場にある、との理解に至っていたことは当然の帰結であった。そのため、一方の元オリンピアンで実業家であったブランデージに比べれば、オリンピズムの理解に際して、王自身の置かれた立場がそれを困難にさせていたといえよう。王も本務が多忙であるためにIOCの会議を欠席しがちであったが、王に限らず、オリンピズムがいかなる思想的基盤の上に成り立っているのかという認識がどれほど共有されていたのか定かではない。

王が訴えた東京大会ボイコット運動は、ブランデージによって否定された。では他方、日本側のIOC委員はどのような対応をみせていたのであろうか。最後に、東京大会の開催決定から返上に至るまでの過程において、日本のIOC委員として最も重要な立場にあり、かつ多大な役割を果たした人物である嘉納治五郎と副島道正[35]の二人について簡単に紹介して終わりとしたい。

1909年にアジア初のIOC委員となり、東京大会招致に尽力した嘉納治五郎の重要性は言うまでもないが、嘉納がベルリン大会を模範として国家を総動員させて「日本らしい」オリンピックを開催すべきとしたのに対して、1934年にIOC委員となった副島道正は、招致活動をめぐってラトゥールからのお咎めを受けたものの、むしろそれゆえに、嘉納とは異なり、ラトゥールおよびIOCの意向を忠実に反映する立場をとることとなった[36]。そうした両者が擁していた認識の違いはすでに指摘されているところであるが、嘉納治五郎が「単にスポーツ競技だけの大会ではない」として、政府・軍部・財界を含めた国家主体での開催を主張していた一方、「国家の宣伝」を忌避して「どこまでもスポーツの精神」を中心に据え、IOC主体での開催のため行動したのが副島道正であった[37]。

嘉納は1938年のIOCカイロ会議に出席し、返上の可能性を否定し続けた。だが、同会議を終えた嘉納が日本への帰路途中に他界すると[38]、IOC主体での開催を支持していた副島は、「国際信義」を説き、大会への支援継続か返上かの決断を出せずにいる優柔不断な政府に詰め寄り、返上の答えを引き出した。戦争による物資不足を原因とする大会会場建設の困難が返上の原因ではあったものの、ボイコット運動が再び激しさを増す可能性もあったなか、かくして、東京大会返上は1938年7月14に中止の声明が出され、翌15日に正式に閣議決定されたのであった。

クーベルタンやラトゥールらが有していたオリンピック観、すなわちオリンピズムは、日本の関係者にどの程度まで理解されていたのか。この点については、嘉納が平和運動としてのオリンピズムに十分な理解を示していたものの、やはり、嘉納の思想のなかのオリンピズムが「国民や民族」に重きが置かれていたことは間違いなかった[39]。

では改めて、オリンピズムはいかなる背景の下で形成されたと考えられるのか。クーベルタンについては、すでに指摘されているように、彼が幼少のころに体験した普仏戦争、そしてパリ・コミューン下での凄惨な殺し合いを見たことが多大な影響を与え、そこで生まれた平和を希求する心情こそが、権力者や国家によって蹂躙されないスポーツ競技会を通した平和教育の実践を志すことになった。実に、クーベルタンの世界主義（コスモポリタニズム）におけるオリンピズムでは、国家は主体としてではなく、あくまで構成要素として位置づけられていた[40]。ちなみに、クーベルタンにはIOCが軍人によって率いられてはならないという信念があったとされるが[41]、それはやはり運営の主体が軍部や国家によって代表され、国家間の角逐の舞台として用いられることを恐れていたからであろう。その点において、外部の介入の余地を与えない、組織や催事の正当化の論拠としてのオリンピズムが必要とされ、主張されることによって、普遍的性格に基づく世界主義の思想の下での大会開催が理想化されたといえよう。

嘉納と副島に話を戻せば、嘉納については、あえて極端な言い方をするならば、国家至上主義ともとれるような思想基盤の上にオリンピズムを位置づけていた点が指摘できるように思われる。だが、そうした嘉納の理解に反して、副島はラトゥールが求めるオリンピズム、すなわち国家によって大会が利用され、蹂躙されるべきではないとする考えに忠実な行動をとり大会返上を早期に引き出した。まさに、田原淳子が述べるように、「副島だけが大会の中止を日本政府にはたらきかけ、IOCの方針通り返上を実現させ」たのであり、彼は日本の代表としてよりも、IOCを主体とし、「IOCの意図」に沿う行動をとったのであった[42]。けれども、その行動ゆえに副島が他の日本側委員から疎外されてしまったことは[43]、日本側の理解の限界を示していたのかもしれない。

## 6．むすびにかえて

以上、本稿では1940年〈東京オリンピック〉返上をめぐる日中米のIOC委員の主張について、中華民国とアメリカのIOC委員のやり取りを主軸としながら、それぞれのオリンピズム認識に着目して検討してきた。

1940年の東京オリンピックは、1937年に開始した日中戦争によって厳しい目が向けられ、中国籍IOC委員の王正廷は、日本による中国への侵略行為が平和の祭典としてのオリンピックの意義と目的に反するとして、東京大会開催に反対した。一方、戦後にIOC会長に就任することになる米国籍IOC委員のブランデージは王の抗議に賛同しなかったが、その論理とは、1936年のベルリン大会をボイコットから守り、近代オリンピックの創始者であるクーベルタンからラトゥールへと継承されてきたオリンピズムを根拠としていた。それは、オリンピックがホスト国のなかに「オリンピア」という、IOCが主体となる“架空の主権空間”の創出によって実現するものであり、政治権力が不可侵となる「オリンピア」のなかでこそ選手たちによる競技および相互交流が保障され、交流を通じて平和が促進される、というものであった。

オリンピックを国家主体、あるいはIOC主体とすべきかという問題をめぐっては、日本籍IOC委員においても、嘉納治五郎と副島道正がそれぞれ前者と後者の立場を反映するような形で意見の相違があった。だが、国家主体での開催を主張していた嘉納が死去すると、IOC主体での開催を支持していた副島は、「国際信義」を重視して政府側に迅速な決断を促し、大会返上は1938年に決定された。

もし、オリンピックを「主催側国家を前提」とし、国際関係の基盤の上に成り立つとの見方に立てば、日本籍IOC委員・副島が本来国家主体での開催に否定的であり、「国際信義を守るための早期の返上決定」を促して自主返上となった結果も、中国籍IOC委員の王が主張したような「平和を破壊した日本の責任」が問題視され、中国側委員の外交工作が功を奏して中止に追い込んだかのようにみえる。だが、両者の“間”の存在としてのアメリカ籍IOC委員のブランデージに目を向けると、国家が絶対的な主体とはならないオリンピズムの姿がみえてくる。オリンピズムにおいては、大会のホスト国ではなく、IOCおよび選手が主体として最重要の位置を占め、国家や政治に干渉されない「オリンピア」創出による「スポーツの非政治化」が根幹に据えられることが理想化されたのであった。それゆえに、IOC会長のラトゥールにしても、王による意義申し立てに正統性を与えることがなかったのである。

東京大会は返上されたものの、ボイコット運動に反対したブランデージは恩人としての扱いを受け、大会返上の翌年である1939年4月に東京市・外務省・鉄道省国際観光局の招待を受けて日本を観光訪問した[44)]。その後日米は交戦状態に陥ったものの、ブランデージは1948年に副島道正が死去するまで彼と文通を続ける間柄となり[45)]、戦後は1952年から72年まで第5代IOC会長を務め、アメリカ人として唯一のIOC会長となった。戦前同様に東京大会開催を熱心に支持し続けたブランデージは、IOC会長任期中の1964年についに東京大会を実現させ、西洋のオリンピックではなく、世界のオリンピックを望んでいたクーベルタンの夢を一つ叶えた[46)]。しかしながら、そうした「オリンピア」創出と選手同士の交流により平和を実現させる理想を掲げたオリンピックの大会も、冷戦下ではボイコットに見舞われ続け、スポーツは政治に翻弄され続けた。そこでは、スポーツによる「一時休戦」を説いたクーベルタンのオリンピズムも、現実の国際関係と国家間のイデオロギー闘争による角逐、そしてナショナリズムとナショナル・ヒストリーに基づく共同体意識形成の欲望の前で制限を受けることを余儀なくされたのだといえよう。

【注】

1）「オリンピズム」とは、近代オリンピックの創始者であるピエール・ド・クーベルタンの理念に基づく思想で、オリンピック精神とも呼ばれる。オリンピック憲章の根本原則では、「オリンピズムは肉体と意思と精神のすべての資質を高め、バランス良く結合させる生き方の哲学」、「オリンピズムはスポーツを文化、教育と融合させ、生き方の創造を探求するもの」、「オリンピズムの目的は、人間の尊厳の保持に重きを置く平和な社会の推進を目指すために、人間の調和のとれた発展にスポーツを役立てること」などの記載がある（和田浩一「近代オリンピックの創出とクーベルタンのオリンピズム」小路田泰直・井上洋一・石坂友司編『ニッポンのオリンピック―日本はオリンピズムとどう向き合ってきたのか―』青弓社、2018年、18-21頁）。
オリンピズムは実に多様な意味を内包する概念であることが指摘されてきた。一方、本稿では、東京大会開催に対する諸外国の態度を分析し、人道主義的なスポーツマンシップに依拠する「世界平和の実現」か、政治から独立した「スポーツの中立性」かの異なる立場でオリンピズムの解釈が対立していた点を明らかにした田原淳子の研究での用法を参考に、オリンピック運動における多義的な価値規範の総称として「オリンピズム」を使用する。田原淳子「第12回オリンピック東京大会の開催中止をめぐる諸外国の反応について―外務省外交史料館文書の分析を通して―」『体育学研究』第38巻第2号、1993年、87-98頁。

2）1940年の「幻の東京オリンピック」に関する研究は、メディア史からは浜田幸絵『〈東京オリンピック〉の誕生―1940年から2020年へ―』（吉川弘文館，2018年）など、近年でも少なくない成果が刊行されている。本稿にかかわるものでは、田原淳子（「第12回オリンピック競技大会（東京大会）の中止に関する歴史的研究」中京大学博士論文、1994年など）や、中華民国側の対応を考察した何文捷による一連の研究（「1930年代の日中関係とオリンピック・極東選手権競技大会」中京大学博士論文、2000年など）があるが、なかでも、オリンピズムを組織的に代弁する立場にあった、当時の三代目IOC会長のバイエ・ラトゥールに焦点を当てた中村哲夫による研究を中心に参照する。中村哲夫「IOC会長バイエ＝ラトゥールから見た東京オリンピック」坂上康博・高岡裕之編『幻の東京オリンピックとその時代』青弓社、2009年、22-67頁。

3）池井優「1940年“東京オリンピック”―招致から返上まで―」入江昭・有賀貞編『戦間期の日本外交』東京大学出版会、1984年、234頁。

4）スイス・ローザンヌのオリンピック研究センター所蔵文書が代表的な一次資料となるが、本稿ではそのオリンピック研究センター歴史アーカイブズ（Historical Archives, Olympic Studies Centre）所蔵文書をHA-OSCと略して表記する。主に参照するファイル「Correspondence about the 1940 Olympic Summer games in Tokyo (not celebrated)」（ID iRIMS: 10652）については、同機関で用いるレファレンス・コード「CIO JO-1940S-TOKYO-CORR」で示す。

5）王培・劉延兵・李瑜編『百年中国奥運之路』北京、華文出版社、2007年。同書は中国側に残る档案（公文書）史料に依拠した文献である。

6）王正廷（1882-1961）はエール大学を卒業、1920年代から1930年代初頭の中華民国において、北京政府では外交総長、南京政府では外交部長を歴任し、中国に対する不平等条約撤廃に尽力した。日中関係にも深く関与することとなった王の外交の特徴については、高文勝「王正廷の外交思想」（小林道彦・中西寛編『歴史の桎梏を越えて―20世紀日中関係への新視点―』千倉書房、2010年、113-129頁）、スポーツとのかかわりは、高嶋航「戦時下の平和の祭典―幻の東京オリンピックと極東スポーツ界―」（『京都大学文学部研究紀要』第49号、2010年3月、25-72頁）を参照のこと。

7）王培・劉延兵・李瑜編、前掲書、120頁。

8）同上、121頁。なお、オリンピック通史である崔楽泉『中国奥林匹克運動通史』（青島、青島出版社、2008年）も同様の記述となっている。

9）王正延からカイロ・IOC総会宛ての電報（1938年3月8日付）。この電報については、すでに中村哲夫によって紹介されており、本稿の日本語訳も主に中村による訳文を参照した。CIO JO-1940S-TOKYO-CORR, HA-OSC、中村、前掲論文「IOC会長バイエ＝ラトゥールから見た東京オリンピック」、49頁。

10）王正廷から協力を取り付けたのは副島道正であった。高嶋航『帝国日本とスポーツ』塙書房、

2012年、40頁。

11) 1913年から続いていた極東選手権大会への満州国参加を中国は反対し続け、1934年に極東体育協会は日本とフィリピンによって解散された。中国は極東体育協会の解散を認めなかったものの、日本はそれに代わる東洋体育協会を1934年に創設した。結局、中国・王正廷は東洋体育協会を承認せず、同協会による東洋選手権大会は実現せずに無期延期となった。同上、25-43頁。

12) 高、前掲論文。

13) 中村、前掲論文「IOC会長バイエ=ラトゥールから見た東京オリンピック」、49頁。筆者もIOC議事録(HA-OSC)で同記録を確認している。

14) こうしたラトゥールの対応について、中村哲夫は「王が問題とした侵略的な戦争を仕掛けようとしている国にはオリンピック開催の資格はあるのかという問いはラトゥールが想定する範疇にはなく、王の声はラトゥールには届かなかった」と指摘する。同上、54頁。

15) エイブリー・ブランデージ(1887-1975)は、1912年オリンピックストックホルム大会に五種競技と十種競技で出場し、全米選手権では連続優勝を飾った(1914・16・18年)。その後、アマチュア競技連盟会長(AAU:1928年〜1933年および1935年)、アメリカオリンピック委員会会長(AOC:1928年〜1958年)の他、1946年から1952年までIOC副会長(会長は第4代のジークフリード・エドストレーム)を、1952年から72年まで第5代IOC会長を20年もの長きにわたって務めた。
ただし、ブランデージの名をもじって「奴隷制下の束縛者(スレイブリー・ボンデージ)」とのあだ名が付けられたように、アマチュアリズムに固執し続ける彼の原理主義的な態度に批判者も数多くいたことや、「政治への不干渉」を主張し続けたオリンピックが実際には政治性から自由となり得なかった点などについては、次の研究を参照のこと。ジュールズ・ボイコフ(中島由華訳)『オリンピック秘史—120年の覇権と利権—』早川書房、2018年。なお、以前は名前が「アベリー」と表記されていたが、近年では原音を忠実に訳した「エイブリー」が一般的となっており、本稿では後者を用いる。

16) 王正廷からブランデージへの書簡(1938年6月11日付)。CIO JO-1940S-TOKYO-CORR, HA-OSC.

17) ここでは、ブランデージがIOC委員会の秘書長であったA.G.ベルデズ(A.G. Berdez)大佐に送った書簡(1938年6月20日付)に参考資料として添付されていた声明文のコピーを参照した。声明文のタイトルは、「W.J.ビンガム氏の辞職に寄せて。アメリカオリンピック委員会会長エイブリー・ブランデージによる声明文」。CIO JO-1940S-TOKYO-CORR, HA-OSC.

18) 同上。

19) Sandra Collins, *The 1940 Tokyo Games: The Missing Olympics: Japan, the Asian Olympics and the Olympic Movement*, London: Routledge, 2007, pp. 149-153. なお、1936年のIOC総会においてロンドンが突如立候補し、投票直前に辞退した経緯がある。池井、前掲論文、228頁。

20) *Ibid.*, pp. 150.

21) このベルリン大会をめぐって、ユダヤ系勢力を中心にアメリカで起こったボイコット運動とブランデージの動向については中村哲夫による次の研究が詳しい。中村哲夫「アメリカにおける第11回オリンピック・ベルリン大会参加問題—アベリー・ブランデージの視点から—」大熊廣明監修、真田久・新井博・榊原浩晃・李燦雨編『体育・スポーツ史にみる戦前と戦後』道和書院、2013年、281-296頁。

22) 同上。

23) 本来古代オリンピックが開催されていたギリシア北西部のオリンポス山を由来とする「オリンピア」は、ゼウスが祀られる地およびその地で開催される祭典の両方を指す語として用いられる。橋場弦・村田奈々子編『学問としてのオリンピック』山川出版社、2016年、2-3頁。

24) アベリー・ブランデージ(宮川毅訳)『近代オリンピックの遺産』ベースボール・マガジン社、1972年、173-174頁。

25) この他にも、陸上競技でドイツ選手が金メダルを獲得すると、ヒトラーは総統の立場で選手を貴賓室に招き祝福の言葉を述べたが、これを聞いたラトゥールはヒトラーに対して「閣下が今日おとりになった態度は、オリンピックにふさわしくありません。もし閣下がこのようなことをすべての勝利者になさるつもりならともかく、そうではない場合には、今後この種の行為は一切おやめください」と告げ、ヒトラーの行動を牽制したという。同上、175-176頁。

26) 加えて、ベルリンで大会を開催する意義について、ブランデージは次のように説明していた。
むしろ考えてみると、オリンピック運動の人種、宗教による差別を一切しないとの原則をナチの首都であるベルリンで示すことは、ナチスの誇るアリアン民族以外の多数の選手が優勝するチャンスを作ることであり、これは逆に反ナチ勢力の運動の助けになるのだ。
同上、166-167頁。

27) クーベルタン自身、「オリンピック競技の場合、拍手歓声などの応援は、国家的なえこひいきをせず、専ら美技に対して行われる」べきであり、「あらゆる偏狭な国民感情には『一時休戦』が支配しなければなりません」と説いていた。阿部生雄『近代スポーツマンシップの誕生と成長』筑波大学出版会、2009年、245頁。

28) David Miller, *The Official History of the Olympic Games and the IOC: Athens to London 1894-2012*, Edinburgh: Mainstream Publishing, 2003, p. 144

29) 例えば、IOCのウェブサイトに歴代会長として掲載されているブランデージの紹介文でも、以下のように説明されている。
誰もが、彼が自身の信念に対して常に忠実であり、次の主たるオリンピックの理想を守るべく行動していたことに同意するだろう。それらはつまり、アマチュアリズムとスポーツの非政治化である。
オリンピック研究センターウェブサイト https://library.olympic.org/default/historical-archives.aspx?_lg=en-GB（2020年8月1日確認）

30) ラトゥールはブランデージに絶大な信頼を寄せており、すでに1932年の時点で彼にIOC委員となるよう要請していた。だが、アメリカからすでに3人の委員が定員を満たしていたため、欠員が生じた1936年のベルリンでのIOC総会で選出されるまで待たなければならなかった。ブランデージ、前掲書、178-179頁。

31) 中村、前掲論文「アメリカにおける第11回オリンピック・ベルリン大会参加問題―アベリー・ブランデージの視点から―」、287-288頁。

32) 同上、294頁。

33) ブランデージがIOCで主導した「国歌国旗廃止案」については次を参照のこと。黒須朱莉「近代オリンピックの理想と現実―ナショナリズムのなかの愛国心と排他的愛国主義―」石坂友司・小澤考人編『オリンピックが生み出す愛国心―スポーツ・ナショナリズムへの視点―』かもがわ出版、2015年、86-115頁。

34) ブランデージ、前掲書、170頁。ちなみに、1912年のストックホルム大会では五種競技で6位だったが、金メダリストのジム・ソープ（James "Jim" Thorpe）がアマチュア規定に抵触したとして失格し、5位に繰り上げとなった。

35) 嘉納治五郎（1860-1938）は、長年にわたり東京高等師範学校校長を務め、講道館柔道および大日本体育協会の創始者であることから、「柔道の父」や「日本体育の父」として知られる。嘉納とクーベルタンのオリンピズムの比較については次が参考になる。和田浩一「嘉納治五郎から見たピエール・ド・クーベルタンのオリンピズム」金香男編『アジアの相互理解のために』創土社、2014年、167-189頁。
副島道正（1871-1948）は、副島種臣の三男。伯爵として宮内省に入り、京城日報社長などを務め、日本バスケットボール協会では初代会長となった。趙聖九『朝鮮民族運動と副島道正』研文出版、1998年。

36) 副島は、同じくIOC委員であった杉村陽太郎と1935年にイタリアのムソリーニを訪問し、1940年大会へのローマの立候補を取り下げるよう求めて成功を収めた。ところが、IOCが主体となり、外部でのいかなる交渉を認めないIOCの伝統と規則に背いたとして、副島と杉村の行動は会長のラトゥールによって強く譴責された。だが、この経験により、副島はIOCを最高権力機関とするオリンピズムについて最も良く認識する日本のIOC委員となったといえる。中村、前掲論文「IOC会長バイエ=ラトゥールから見た東京オリンピック」、26-30頁。

37) 同上、36-37頁。田原の博士論文でも、副島の行動がIOC所蔵の一次史料から詳細に跡付けられている。

38) ちなみに、嘉納が死去しなければ、オリンピック東京大会は返上されなかった可能性があるとの指摘もある。坂上康博「柔道思想とオリンピズムの交錯―嘉納治五郎の「自他共栄」思想」小路田泰直・井上洋一・石坂友司編、前掲書、155頁。

39) 例えば、和田浩一の研究などでも示されているように、嘉納の「自他共栄」とクーベルタンの「相互敬愛」といった嘉納とクーベルタンの思想的類似性が明らかにされてきた一方、坂上康博が「嘉納の思想のなかでは、国体の擁護が自他共栄と同等か、それを上回る上位の価値基準として存在していた」、「嘉納の思想には、平和構築の理論としての決定的な弱点が存在していた」と指摘するように、嘉納の思想は平和構築の理論としてあくまで国家が優先されるものであった。和田、前掲論文、2014年。坂上、同上、155頁。

40) 例えば、阿部生雄は、「彼［引用者注：クーベルタン］の普遍主義における世界観は、国が寄り集まって世界が構成されているのではなく、もともと世界が存在していてその中に国々がある、という考え方」であり、「『世界』を自己の内面に見出すこと」こそが「世界主義」だとする清水重勇のクーベルタン論を引用しつつ、「そうした『世界主義』が根底にマトリクスとして存在しているがゆえに、オリンピズムの普遍的性格が確保され」る点を指摘する。阿部、前掲書、250頁。

41) ボイコフ、前掲書、73頁。

42) 田原、前掲博士論文、109-110頁。

43) IOCから技術顧問として日本に滞在していたベルナー・クリンゲベルグ(Werner Klingeberg)がラトゥールに行った報告によると、副島の行動は日本の組織委員会から強く非難されていた。そのため副島はIOC委員辞任を申し出たが、ラトゥールは副島が「国にとってもIOCにとっても正しいことをした」として、辞任を認めなかった。中村、前掲論文「IOC会長バイエ＝ラトゥールから見た東京オリンピック」、56-58頁。田原、前掲博士論文、102-110頁。

44) これは、1936年の東京大会招致活動の際にラトゥールが日本側から無償で招待を受けたのと同様に、将来的な東京大会再誘致のための宣伝活動の一環でもあった。Collins, *op.cit.*, p. 168.

45) ブランデージ、前掲書、275頁。

46) この点について、ブランデージは次のように述べていた。

> 1964年、東と西の間に残されていた大きなギャップが埋められた。オリンピック大会は、人類の発祥地で世界最古の文明の地であるアジアにやってきたのだ。クーベルタンが存命していたらさぞかし喜んだに違いない。
>
> 同上、270頁。

[研究論文]

# ポスト・スハルト体制期のインドネシア映画における家族主義

西　芳実
Yoshimi NISHI
●京都大学東南アジア地域研究研究所准教授
（インドネシア地域研究）

●キーワード　映画、家族、国民文化、ポピュラー・カルチャー、若者、インドネシア、東南アジア

《主な章題》

1．はじめに　強い父なる大統領による統治
2．スハルト体制期の家族主義と若者映画
3．ポスト・スハルト体制期の映画産業と映画表現
4．絶望に身を亡ぼす若者たち――『クルドサック』
5．恋愛を成就させる若者たち――『ビューティフル・デイズ』
6．家族作りを遂げる若者たち――『第七ハウス』
7．結び　唯一の父から複数の大人へ

## 1．はじめに　強い父なる大統領による統治

本稿の背景には、インドネシア社会を支えてきた統合原理である家族主義に着目して、1998年に権威主義体制から民主化への移行を経験したインドネシアにおいて、社会の実情に合わせて家族主義と民主主義を発展させようとする試みへの関心がある。

インドネシアは、言語、宗教、民族が互いに異なる多様な人々からなり、独立してから70年余りの歴史が浅い国である。多様性の中の統一を国是に掲げるインドネシアは、多数派であるジャワ人（総人口の約42％）の母語であるジャワ語ではなくマレー語を国語（インドネシア語）とし、また、国民の約9割が信奉するイスラム教に特別な地位を与えず、イスラム教、キリスト教、仏教、ヒンドゥー教、儒教を対等に扱ってきた。このようなインドネシアを一つの社会とする統合理念は、学術研究の上でも社会的実践の上でも重要な課題であり続けてきた［永積1980］［土屋1982］［Anderson 1983］。

家族主義とは、国家を家族のアナロジーで捉え、指導者と国民の関係を親と子の関係と見る理解にもとづいて国民に国家との関りを求める考え方である［白石2005］。インドネシアでは、家族主義は1945年の独立革命においては革命参加者の同志愛を支え、国民共同体の秩序を示す理念として機能した。しかし独立後に家族主義が抱える問題が大きくなり、家族主義を使って権威主義的な統治をおこなったスハルト体制期（1967～1998年）に問題が顕著に現れた［Shiraishi 1997］。

家族主義の問題とは指導者の代替わりに関することであり、家族にたとえるなら

ば、子が成長して父にとってかわろうとしたときにどのように対応するかという問題である。「父」であるスハルト大統領による統治が30年以上にわたって続いたことは、国民を教え導かれるべき未熟な「子」の立場に留め置くことであり、国民による政府への異議申し立てが抑制される状況をもたらした。

1998年の政変により、汚職や縁故主義に対する学生らによる政権批判が引き金になってスハルト体制が終焉を迎えた。これ以降、社会の関心や学術研究の関心は、民主化、地方分権、マイノリティの権利の擁護などに向けられ、家族主義について取り立てて語られることはほとんどなくなった。これは、スハルト体制の終焉によって家族主義が終焉を迎えたためではなく、スハルト体制期に家族主義が社会の隅々まで浸透した結果、制度上も認識上も社会秩序と家族主義を切り離して捉えることができなくなったためと考えるべきである。インドネシアが強い「父」によって導かれる社会統合を脱却して水平的な同志愛によって結ばれた社会を実現するには、スハルト体制期に家族主義が社会とどのように結びついていたかについての理解を踏まえて、1998年政変以降のインドネシアで父子関係がどのように認識され実践されているかを検討する必要がある。本稿はこの課題に真摯に取り組んでいる社会的実践として映画に注目する。

1998年以降のインドネシア映画研究は、個別の作品において、ジェンダー［Clark 2010］、LGBT［Murtagh 2013］、民族マイノリティ［Abidin 2016］のような欧米先進諸国で重視される諸価値がどのように表象されているかにもっぱら関心が向けられてきた。作品どうしの参照や応答に着目して作品間の関係を系譜で捉え、社会の共通の課題に対する映画を通じた取り組みを捉えようとする研究はほとんど見られない。かつてのインドネシア映画には表層上のテーマの裏に親子関係や子の成長・自立のような家族をめぐる問いへの取り組みが織り込まれていたが、それが1998年以降の映画にも見られることには関心が向けられていない。

1998年以降、スハルト体制下で作られた物語に対する異議申し立てが行われただけでなく、その異議申し立てを通じて明らかにされた課題を克服するために自分たちの物語を映像作品にして人々に示すという取り組みが見られるようになった。その特徴を明らかにするため、本稿では、家族をめぐる物語である『クルドサック』（1998年）、『ビューティフル・デイズ』（2002年）、『第七ハウス』（2003年）の3つの映画を取り上げる。

これらの作品がつくられた1998年から2003年までは、政治においては、スハルト大統領退陣を受けて新しいインドネシアのための制度設計が進められるとともに、地方騒乱や国軍による人権侵害問題が続いたことでインドネシア国家が解体する危機感が感じられていた時期である。映画に関しては、メディアの自由化の中で新しい映画制作が試みられ、国産映画は観客を見込めることと若者文化を映画に取り入れる必要があることが認識されるようになった時期にあたる。

1998年から2003年までの国産映画の制作・公開本数は年間13本以下であり、インドネシア映画界は停滞期を迎えていた。これ以降に制作本数が増え、2008年以降は毎年100本前後の映画が制作・公開されて今日に至る。停滞期に制作・公開された映画のうち観客動員数が最も多かったのは『ビューティフル・デイズ』の約270万人であり、次いで多かったのは『シェリナの大冒険』の約70万人だった。この2つの作品を制作し、その後のインドネシア映画界の興隆の牽引役となったマイルズ・フィルム社が停滞期に制作した5本のうち、芸術性の高い実験的なものを除いた3作品が『シェリナの大冒険』、『ビューティフル・デイズ』、『第七ハウス』であり、これらのうち児童ミュージカル映画である『シェリナの大冒険』を除いた2作品を本稿で取り上げる。また、これらの作品に先立ってスハルト体制末期にマイルズ・フィルム社の中心メンバーが共同制作に加わったのが『クルドサック』である。

次節以降では、スハルト体制期の映画がどのような物語の特徴を持っていたかを整理したうえで、スハルト体制末期に成長した若者が自画像を描いた『クルドサック』に父子関係のどのような課題が表象され、それらの課題に物語上でどのような対応がなされたかを示す。その上で、ポスト・スハルト体制期の『ビューティフル・デイズ』と『第七ハウス』を『クルドサック』による問いかけへの応答として見たときにどのような挑戦がはかられているかを検討する。作品の分析では、(1) 父は家族（特に子）にとってどのような存在か、(2) 子（若者）の成長や自立は何によって果たされるか、(3) 若者と文化の関係はどのように描かれているかの3つの観点に注目することで、これらの作品間の系譜を捉える方法を取る。

## 2. スハルト体制期の家族主義と若者映画

スハルト体制では、大統領は父のように厳しさと優しさをもって国民を教え導き、国民は子のように大統領に従うことで豊かさと安全が守られるという規範がさまざまなメディアを通じて国民に浸透し、それに基づいて社会制度が構築されてきた。そこでは、父とは豊かさと安全・安心を与えて子を守る庇護者であり、また、子の最善を知る者として子の意向をくみとって教え導く教導者である。したがって、子が要望を自ら口にして父に伝えることは、父の裁量を理解できない未熟者として非難の対象となる。

政治的主体性を持った「青年」として独立革命に参加した若者たちは、スハルト大統領のもとでは政治的主体性が危険視され、非政治化された「ティーン」と扱われた [Siegel 1986]。スハルト体制下では、公的な空間と私的な空間、あるいはフォーマルなメディアとインフォーマルなメディアの棲み分けがなされ、公的な領域の秩序から逸脱したものは、公的な領域を乱すのでない限り、私的な領域で存在することが「雑音」として許されていた [Shiraishi 1997:135-143]。

父が子を導くという家族観は、映画においても物語の展開を制御する道徳的規範として機能した。インドネシアで1970年代に映画産業が拡大し、国民の価値観を導く役割を期待された映画は、制作・上映の許可制度を通して、結末で秩序が回復される物語が作られた［Sen & Hill 2007:143-146］。

若者映画のジャンルでは、親が子の結婚を決めようとし、子がそれに反発することで親子の間に対立が生まれるものが多く見られた。親が子を理解したり子が親を理解したりすることを通じて対立が解消し、子は恋愛を成就させて結婚に至る。子たちが結婚して親になり、親たちの秩序の仲間入りすることで秩序が維持される。親子の対立が子の成長によって解消する予定調和の若者映画は、秩序は回復され維持されるという物語を提供し、スハルト体制の安定と符合した。

若者映画の予定調和的な結末を忌避する試みとして、1980年代後半に「続きもの」という型が導入された。代表例として『ボイの日記』（1987年）や『ルプス』（1987年）シリーズがあり、どちらも1991年までに5作品が作られた。主人公たちは終わりのない日常が続く円環する時間を過ごし、物語は結末を迎えない［竹下2000:30-31］［Sen & Hill 2007:151-154］。親子の対立はほとんど描かれず、子は同世代間の友情や恋愛をめぐる日常を展開し続ける。

これは、親子の対立を経て子が成長し、それによって子が親たちのつくる秩序を担う一員となることに対する物語上の抵抗である。親たちのつくる秩序に参加せずに子だけの世界にとどまることは、子が同世代の仲間内で経験や文化を育む場を確保するという積極的な意味をもつ。ただし、子が成長せずに済むのは親たちがつくる秩序によって支え守られているためであり、自由を謳歌しているように見える子たちが体制を脅かすこともない[1)]。

「続きもの」の導入は、社会が若者に期待する役割が政治の主体から消費の主体へと変わったことの反映でもあった。『ボイの日記』や『ルプス』が「続きもの」たりえたのは、これらの作品が都市中間層の若者の支持によって興行的に成功した売れるコンテンツとなり、「終わらない」ことが期待されたためである。スハルト体制が喧伝する家族主義のもとで若者の成熟を避ける物語が出現したのは、若者が消費の主体として注目され、都市で消費生活を満喫する若者の姿が広告の観点から望ましくなったことが背景にある。

スハルト体制下で、文化は、芸術性と娯楽性（商業性）、国民文化と外国文化の二項対立の軸上で区分されて評価され、それぞれ前者が公的空間で政府の保護を得るものになり、後者は雑音として放置された。1980年代以降には、芸術性と国民文化称揚をかねそなえた映画と、通俗的と評価される商業的な娯楽映画との分離が著しくなった。1989年に民間テレビ放送局の放送が開始されると映画人はテレビドラマ業界に活動の場を移し、1990年代に民間テレビ放送局が増えてインドネシア映画は産業として衰退した。テレビの普及に伴い、「子ども」や「ティーン」は啓蒙の対象として、また、消費の主体として重視されるようになった［Sen & Hill 2007］［白石2013］。

1990年に年間115本あった映画の制作本数は1991年には61本に減り、以後、年間30本前後を推移し、1997年の通貨危機と政治危機を受けて1998年には4本に落ち込んだ。劇場が上映する作品はハリウッド映画などの外国映画が中心となり、インドネシア映画の制作者たちは芸術作品として国際映画祭への出品を目指すようになった。映画監督になる要件である助監督の経験を積むことができなくなり、若者たちは、映画監督になる道を事実上閉ざされた。

首都ジャカルタでは、スハルト体制下で実現した経済成長とそれに伴う都市化・近代化のなかで育った「開発の落し子たち」[竹下2000]ともいうべき若者たちが登場し、雑誌、ラジオ、テレビ、映画、カセットテープなどのメディアを通してもたらされる文化を享受するとともに、自らも制作するようになった。ただし、彼らは政治的主体性を持つことを期待されないティーンであり、活動の成果物は雑音に分類され、その文化的・社会的展開が政治的に意味を持つことは注意深く避けられていた。

## 3．ポスト・スハルト体制期の映画産業と映画表現

1998年政変はインドネシアの改革を求めるレフォルマシ（改革）運動の帰結として生じた。

家族のアナロジーという観点から、ここでは2つの図像が重要である。一つはスハルト大統領の退陣の様子である。スハルト大統領のよき「子」であるはずの体制内エリートらがスハルトに辞任勧告を行い、これをスハルトが受け入れる形で退陣したことは、「親」にしたがうべき「子」が「親」に引導を渡したことを意味した。もう一つは学生デモに対する国軍の発砲である。国民を守るための軍が国民に銃を向けたことは、「親」が「子」に銃を向けたことに等しかった。この様子を報じる写真や映像は、新聞・雑誌、テレビ、インターネットを通じて繰り返し人々の目に触れることになった。

1998年政変は、スハルト大統領を辞任させただけではなく、何でも知っている父が子を教え導くように大統領が国を統治するという考え方を否定するものでもあった。「スハルト的なもの」を否定したインドネシアで、人々は国家からの暴力と抑圧から解放されて民主的な政治を手に入れるのと同時に、庇護し庇護されるという政府と国民の関係を作り直すという課題に直面した。これは政治だけでなく社会全体の課題であり、それぞれの分野でこの課題への取り組みがなされた。映画の分野では、この課題は、力と知恵をもつ父親像を描けない、あるいは子がどのようにして大人になるかが描けないという形で表れた[西2013b]。

改革運動は、映画との関連では、メディアの自由化、学生（青年）の政治主体化、そしてスハルト体制下のあるべき親子の姿の動揺という三つのインパクトを与えた。

映画産業は1998年から劇的な変化を経験し、2003年頃を境に衰退から復活して一大産業に成長した。映画法の制定（2009年）、観光創造経済省の設立（2011年）、創造経済庁の設置（2015年）を経て、映画は政府が推進する創造産業の中核の一つに位置付けられた。作品のスタイル、映像、トピックにおいて新しいインドネシア映画がつくられるようになり、自主映画を対象にした映画祭の開催や、テレビ番組制作会社の映画制作への参入、テレビ、出版、音楽、通信と連携したマルチメディア展開が行われた。映画監督を中心とする制作会社が設立され、また、テレビ番組を制作してきた大手の映像制作会社が映画の量産体制を確立した。

1998年政変後の映画の制作・流通・消費の変化は、インドネシアの文化研究や映画研究では、映画制作の主体と対象の大衆化の過程［Heryanto 2014］や、映画がポップ・カルチャーの主流となる過程［Barker 2019:13］と捉えられた。映画をはじめとする文化産業への規制が緩和され、内容においても消費においても都市中産階級の若者の比重が増した。映画の内容においては、「楽しめること」（娯楽性）や「自分がそこに表現されていると思えること」（アイデンティティ）が重要な評価軸となった。

また、映画表現を国家による統制とそれに対する社会の抵抗との闘争の場とする見方［Sen 1994］から、国家と社会の双方から検閲と購入という形でかけられる圧力に対応し調整する場とする見方［van Heeren 2012］へと変わった。スハルト体制下で非主流あるいは逸脱と位置付けられていたトピック、たとえばLGBT、イスラム、華人、地方文化が映画で積極的に取り上げられ、既存の歴史観に挑戦する歴史の語り直しも行われた［Heryanto 2014］。

こうした一連の動きの端緒となったのが、4人の若手監督の共作による『クルドサック』である。スハルト体制末期に正規の制作許可を取らずに制作され、1998年政変の半年後に国内主要都市で劇場公開された。制作者、制作過程、作品の内容のいずれも従来のインドネシア映画にない新しさを持っており、スハルト体制の政治的道徳的秩序に代わる真のオルタナティブを提供する実験者［Sen 2006］と位置づけられた。

『クルドサック』の監督たちは後に職業映画人としての道を歩み、それぞれ商業映画の制作を手掛けた。とりわけミラ・レスマナ（1964年生まれ）とリリ・リザ（1970年生まれ）が設立したマイルズ・フィルム社による『ビューティフル・デイズ』は、低迷していたインドネシア映画の商業的な成功の可能性を示した。

## 4．絶望に身を亡ぼす若者たち――『クルドサック』

『クルドサック』は、1990年代末のジャカルタを舞台に4組の若者たちの一晩を描いた4つのエピソードからなる群像劇である。個人の心象が描かれていることが特徴で、従来のインドネシア映画史から解放された作風を持つニューウェーブと評された。ほとんどの場面が夜あるいは室内で撮影され、「袋小路」を意味する英語「クル・ドゥ・サック」に由来するタイトルに象徴されるように、閉塞感を全体のテーマとする。若者の目で若者を描いた映画で、年上の世代には理解されないとまで言われた。

登場する4人の若者はいずれも自分の夢を持っているが、親からの理解と支援は期待できず、夢を実現するために非現実的で革命的な選択をせざるをえない。夢の実現は困難に見え、閉塞感を感じる一方で、夢は彼らに取りついて離れず、彼らを苛んでもいる。彼らは夢を実現するため、あるいは夢に取りつかれた状況から逃れるため、一発逆転をめざし、結果として自らの身を破滅させる。

アクサンの夢は映画制作で、映画のフィルムや機材に襲われる夢を毎晩見る。しかし、外国映画のレーザー・ディスクのレンタルショップを経営する裕福な父親はアクサンが映画監督になることを望まず、アクサンは狂言強盗をかたって父親の店の金を盗もうとする。

アンドレはアメリカのロック歌手に憧れている。両親は海外出張で忙しく、邸宅に一人住まいの鬱屈した日々のなか、アンドレは占い師の言葉に導かれて銃を手にし、ロック歌手の自殺の報を受けて自らも自殺に向かう。

ディナは映画館のチケット売りをしている。一人住まいの下宿での唯一の愉しみはテレビで、人気司会者と夢想の中で親しくしているが、現実と夢の区別がつかなくなる。

リナは広告会社に勤めている。会社で上司に監禁され、他の女性たちも監禁されて男たちの慰みものになっていたことを知る。自力で逃げ出したリナは男たちに追われるが、銃を奪って上司とその部下を撃ち殺す。

『クルドサック』で示される若者たちの物語には、大都市で経済的に不自由なく暮らす若者たちが自分なりの夢や生き方を求めつつ、それを実現する術を探しあぐねている様子が見てとれる。親たちは子たちに関心を示さず、子たちが向かうべき道を示し導いてくれない。アンドレ、アクサン、ディナが心の支えとしているのは、ロックバンド、占い師、映画、テレビの人気司会者といったポピュラー・カルチャーから示されるフィクションである。しかしそれらが与える指針に従うための現実的な方策はなく、無理に従おうとすれば生身の自分を破滅に向かわせる。

『クルドサック』では親子の対立は描かれない。登場する若者の親たちは、みな声や影だけで姿を見せない。親は子の結婚や仕事に口出しせず、子が成長するための手助けもしない。若者を守り導く父が不在のまま、若者は社会に自分の価値を問う挑戦を始める前に身を亡ぼしてしまう。若者は文化の消費者になれても生産者になることができない。

『クルドサック』の4つのエピソードは、いずれも「父が子に害をなす」「父が守り導く役割を果たしていない」ことを示しており、父の機能不全の4つの類型が示されている。その機能不全を埋め合わせるのがポピュラー・カルチャーへの執着である。スハルト体制期の若者は地元文化を制作し改変する資格を持たなかった。文化の制作者になる道は厳格に制度化され、文化の受容の仕方を含めて統制されていた。

1980年代以降、若者は外国文化や国家の非公認文化の消費者になった。外国文化や非公認文化には国家や社会の統制が及ばないため、自由に受容し改変することができ、二次創作や自主バンドをつくることもできる。ただし、若者がその文化の生産者になる制度はなく、また、外国文化や非公認文化は社会において評価の対象にならないため、仮に生産者になることができても社会に位置付けられることは期待できなかった。

アンドレとアクサンは、自分の人生を変えようとして一歩踏み出したことで死ぬ。どちらも絶望の中で死んでいるが、物語の別の層では、アンドレは自殺したロック歌手のようになりたいという夢をかなえ、アクサンは「映画を作れないまま死んだ青年」という物語を作り出すことで『クルドサック』という映画をこの世にもたらし、映画を作るという夢をかなえている。バッドエンドの物語の主人公になることで自分の願いをかなえたことは、「終わらない物語」の主人公になることで体制が求める大人にならないという抵抗を示してきた1980年代以降の若者の物語に、若者の手で終止符が打たれたことを意味する[2)]。

『クルドサック』は、スハルト体制期にもっぱら外国映画を上映していたシネマ21系の劇場で上映されて13万人を動員し、当時の国産映画として異例のヒットとなった。1980年生まれの若い観客は「自分たちのことを表した」物語だと語った。制作者たちの親の世代にあたるJ. B. クリスタント（1944年生まれ）のような批評家からは「筋がなく理解できない」と評された一方で、レイラ・チュドリ（1962年生まれ）からは「新しい子どもたち」の登場と評された［Barker 2019:56］。若者世代が受け入れたものに親世代に「理解できない」と言わせたことは、親が子の意向をくみとって導く時代が終わったことを意味しており、この作品制作の意図が十分に成功したことにほかならない。

## 5．恋愛を成就させる若者たち――『ビューティフル・デイズ』

『ビューティフル・デイズ』は、ジャカルタを舞台にした高校生の純愛物語として若い観客から圧倒的な支持を受け、観客動員数270万人というインドネシア映画史上最大のヒット作（当時）となり、インドネシア映画界の本格的な復活を告げる作品となった。

『クルドサック』では、若者たちは映画やテレビを通じてインドネシアに流入してきた海外のポピュラー・カルチャーに救いを求めながらも閉塞状況に苦しんでいた。これに対して『ビューティフル・デイズ』は、悩み苦闘する若者の心に寄り添って指針を与えるものがインドネシアの国民文化のなかにあること、そして若者たちがその文化の担い手になりうることを示した。

高校の学内の詩作コンテストで毎年優勝していた女子高生のチンタは、同じ高校に通う男子高生のランガの詩にコンテストで負けたことをきっかけにランガと交際するが、チンタの親友の自殺未遂をきっかけにランガと疎遠になる。ランガがアメリカに転校することになり、チンタはランガに愛を告白する。ランガはアメリカに旅立ち、いつか再会するとの決意を表明しながらも2人は離れ離れになる。

恋愛が成就するが2人が離れ離れになって家づくりをしないことで、子が成長して親の作る秩序に取り込まれるというスハルト体制初期の物語とも、子は成長せずに親の秩序に取り込まれないが袋小路に陥るというスハルト体制末期の物語とも異なる解決が図られている。

父は子にとって災いのもととして描かれている。ランガの母親は、政府を批判して失職した父親が共産主義者呼ばわりされる生活に耐えかねて家を出た。ランガがチンタを置いてアメリカに旅立たなければならなかったのも、インドネシアでは安全に暮らせないと判断した父親の差配によるものだった。政府に異を唱えた父親に非はなく、父親の選択は子を守るためのものだったが、その結果、ランガは2つの愛をあきらめざるをえなかった。

『ビューティフル・デイズ』はランガの決意の詩で終わる。チンタとランガは互いを慕う自分の気持ちを認めて心を通じ合わせるが、それはランガが父親とともにニューヨークに旅立つ日のことだった。「行かないで」とすがるチンタにランガはノートを託し、ジャカルタから発つ飛行機の機中へと姿を消す。帰りの車中でチンタはノートに記されたランガの詩を読む。

「チンタという名で現われた彼女」で始まる詩を読むチンタは、「僕は帰ろう」のくだりを読むや顔をほころばせる。チンタにとって、この詩はランガが自分のもとに帰る決意を伝える詩である。こうしてチンタとランガの再会の予感が示されたことで『ビューティフル・デイズ』はハッピーエンドとなっている。

しかし、インドネシア語で「愛」を意味する「チンタ」を文字通り愛と読むならば、二節目の「愛に苦しみ遠く去った母」に示されているように、ランガにとって愛について語ることは母親を語ることである。ランガにとって、インドネシアを離れることは、チンタとの距離が離れることだけでなく、母親との距離が離れることも意味していた。

『ビューティフル・デイズ』の物語はこの詩をもって終わる。ランガとチンタの愛が確認されたという意味ではハッピーエンドだが、2人の物理的距離は離れたままとなっており、子と親との関係も決着がつけられておらず、その意味で未完の物語になっている。

『ビューティフル・デイズ』では、若者は自らの文化の担い手として描かれる。ランガとチンタは詩で結ばれている。ランガは詩で自分を表現し、チンタはコンテストでランガに負けてランガを意識する。詩を理解するチンタは同世代に心を閉ざしていたランガと交友し、ランガの心を開くことができた。
ランガが手本とするのは外国文化ではなく国民文化である。ただし、それは忘れられた国民文化であり、その意味で非公認文化であるといえる。1940年代の独立革命期のインドネシアで古い価値観の否定と若い精神の発露を担った国民的詩人ハイリル・アンワルの存在がチンタとランガを結びつける印象的な役割を果たす。劇中で引用されるハイリル・アンワルの「俺」は、自らを群れから見捨てられた野生の獣にたとえ、傷を負いながらも一人で生きる決意をみなぎらせた孤独を語る詩である。孤独を語ることで孤独を人と共有することが可能になる。今いる社会に共感の相手や自分の物語を見つけることができないとき、過去にさかのぼって見つけたものを再解釈すればよい。外国で探さなくても自分たちの社会の中にある。この映画の公開後、若者たちの間でハイルル・アンワルの詩やその人生がにわかに脚光を浴びた。

ランガの詩作は手違いでコンテストに応募されて優勝し、学校という公の場で評価を受ける。チンタはランガの詩にメロディーをつけてカフェで歌って人気を博し、公の場ではないものの社会からの支持を受ける。こうして詩を作るという専門性が社会に位置付けられていく過程が描かれ、若者が自らの内に育んだ専門性で身を立て社会に認められる展望が示される。

『ビューティフル・デイズ』はまた、公的な秩序の担い手である親や教師のほかにも大人たちが登場し、若者の助言者や庇護者になる。学校の用務員は学校教育の場の世話人であり、古書店主は書籍という知識の収蔵場所の世話人である。教師や新書店経営者と異なり、時代の主流や公式のラインナップから外れたものを拾い上げてストックする役割を担う存在である。チンタとランガは彼らの助言や取りなしを受けて愛を育んだ。

『ビューティフル・デイズ』は、成長する自分たちについての未来の希望を若者たちに示したことで、映画史の記録を塗り替えるヒットとなった。映画に関連する詩集が出され、音楽もヒットし、映画が他のメディアと複合的な消費を促すことが示された。14年後に続編が制作・公開され、登場人物たちの14年後の物語を実社会で14年間の時間を経た観客が歓迎したことは、この作品が社会に大きな影響を与えたことを物語っている[西2018]。

## 6．家族作りを遂げる若者たち――『第七ハウス』

『第七ハウス』は、『ビューティフル・デイズ』と同じ制作チームにより制作され、『ビューティフル・デイズ』公開の翌年のバレンタインデーに劇場公開された恋愛映画である。大人の助言者がいない世界で、自らの手で運命の相手を見つけた二十代半ばの若者チャクラ（男）とリンタン（女）の物語である。助言者がいない世界で若者たちは占星術や夢占いに取りつかれているが、取りつかれた状態から身の破滅に向かった『クルドサック』と異なり、『第七ハウス』では取りつかれた状態から自らの力で離脱して人生を切り開く。

幼馴染で親友どうしのチャクラとリンタンは、どちらが先に恋人を見つけるかという賭けをし、それぞれ別の人と交際した後に互いが自分の真の愛であると気づく。

チャクラとリンタンはレンタルVCD店を共同経営している。仲は良いが恋人どうしではなく、何事につけ考え方が食い違う。本能や深層心理を重視して自分の夢に現れる映像の読み解きを信じるチャクラと、人生の大事なことは生れたときにすでに決まっていると考えて占星術を信じるリンタンは、人生観が大きく異なっている。2人は幼い頃に占星術師の老人に出会っていた。老人は第七ハウスに位置する星座の人物がリンタンの運命の人であると告げ、リンタンに占星術の盤を与える。リンタンはこの予言に囚われて条件に合う恋人候補を探し、チャクラはそんなリンタンを心配する。

2人は、共通の目標であるオルタナティブ・シネマの開設準備よりもそれぞれの恋人候補とのデートを優先させるようになった相手に互いに不満を抱く。口論の末に、2人は別々の方向に歩き出したときに振り返って相手の様子を確認するが、振り返るタイミングが違うためにどちらも相手が自分に背を向けた姿しか確認できず、2人の亀裂が決定的になる。

これとほぼ同じシーンが『ビューティフル・デイズ』で見られる。古書店でランガと口論になって怒って立ち去るチンタにランガが戸惑っていると、古書店主が「君を好きなら振り返るはずだ」といって、その場に立ち止まってチンタの背中を見続けるよう助言する。あにはからんやチンタは振り返り、ランガはそれを見ることができた。『第七ハウス』では助言する人はなく、互いに相手が自分を見ていることを確認できない。それにもかかわらず、2人は次に見るように関係を修復させる。それは、長い年月の友達づきあいのなかで、2人の間に相手についての理解が蓄積されているためである。知識と経験を積むことで助言者の助けを得なくても適切な判断ができるようになったことをこの物語は示している。

恋人を見つける賭けの期限の前日の晩、チャクラとリンタンはそれぞれ近所の結婚披露宴を訪れる。チャクラが途中で抜け出してリンタンとの思い出の桟橋に来ると、リンタンも姿を現す。2人とも恋人を見つけられなかったと伝え合う。チャクラはリンタンに目隠しをして別の場所に連れていく。目隠しをとると、内装が完成したオルタナティブ・シネマだった。建物の外に出ると、オルタナティブ・シネマの名前の「第七ハウス」を示したネオンサインがある。チャクラはリンタンに「第七ハウス」を与えたのである。

チャクラはリンタンが囚われていた物語から占星術を取り除き、第七ハウスに運命の人がいるという部分だけ残すことで、リンタンを老人の予言の呪縛から解放した。それを後押ししたのは、助言者なしでも相手の思いを信じてあきらめないまでに成長した2人がともに過ごしてきた時間であり、自らの本能と感性を信じるチャクラの確信だった。

『第七ハウス』には湖畔の桟橋が繰り返し登場し、中でも重要なのは冒頭と終幕のシーンである。冒頭では、幼いチャクラとリンタンが赤い服と白い服に身を包んで桟橋で遊んでいる。紅白の組み合わせはインドネシアの国旗を象徴している。終幕では、大人になったチャクラとリンタンが子ども時代と同じように赤と白の服を身に着け、同じ桟橋に青い傘をさして座っている。

この物語は、紅白の衣に身を包んだインドネシアの子を象徴する幼い二人が、成長して青年になるまでの物語であり、その間に、占星術の言葉に惑わされた少女を少年が救出する物語が挿入されている。2人は占星術の方位盤と夢占いの読み解き本を湖に捨て、自分たちの意思で歩みだしたことが示される。古い邸宅に隠れ住んでいる占星術師の老人はスハルトを象徴しており、これはインドネシアの子たちが成長して自分の力で判断できるようになるとともに、真の愛を見つけて大人として一歩を踏み出す物語である。2人が1つの青い傘の下に仲睦まじく座って湖畔を見つめていることは、友愛に結ばれたインドネシアの子どもたちが1つの空の下で未来を見据えることが可能であることを示している。

『第七ハウス』は国営テレビ局の青少年向け番組の推奨作品に位置づけられ、民放を含めて繰り返しテレビ放映されているほか、ミニシアターで上映されたり動画配信サービスで配信されたりすることで、今日でも若者を中心にインドネシアの人々に見られている。

## 7. 結び――唯一の父から複数の大人へ

スハルト大統領による統治が国民に否定された1998年政変は、父が子を教え導く家族主義に対する否定だったのか、それともスハルト体制の否定であって家族主義の否定ではなかったのか。この問いは政変後のインドネシアで公の場で言語化されることはほとんどないが、社会の各分野において応答が試みられてきた。本稿が取り上げた国民的なメディアである映画はその1つである。本稿では、個別の作品のテーマを読み解くのではなく、作品どうしの系譜を意識して、映画における親子関係や若者の描かれ方をもとに上述の課題への応答を検討した。

1998年政変の前後に制作された映画に描かれる親子関係からうかがえるのは、父が子を庇護し教導する家族主義の完全な否定ではなく、インドネシア社会の実情に合わせた家族主義の模索である。

スハルト体制期のインドネシアでは、家族主義に基づく権威主義体制のもと、「子」である国民は「父」である政府に反抗することが許されなかった。国民の価値観を導く役割が映画に期待されていた1970年代、インドネシアの映画は、親が用意した家族作りに子が反抗するが、和解して子が家族を作ることで親たちが作る秩序の一部になるという物語を描いた。

このような物語への抵抗として、1980年代後半の若者映画は親子の葛藤や対立を描かなくなった。若者は子の状態にとどまったまま、結婚に至らない恋愛および生産に結びつかない消費の主体として終わりのない日常を過ごす「終わらない物語」が描かれた。

公的領域で政治の主体となることが許されなかった若者たちは、スハルト体制末期には、私的領域で消費の主体となることで居場所を見つけ、外国文化や非公認文化を受容し改変することで独自の文化空間を育んだ。ただし、それが可能なのは子が親の庇護下にあったためであり、家を守っていたはずの父の機能不全とともに袋小路に陥る。『クルドサック』は、親の理解や支援が得られない子たちが成長を求めた結果として破滅を迎える物語を通じて、スハルト体制下の家族主義によって若者の成長が止められ、社会が袋小路に陥ることを明示した。

1998年政変でスハルト体制が崩壊すると、新しいメディア環境の中で制作された若者映画では子の成長が描かれ、作中で若者たちは恋愛を成就させるようになる。ただし、子の成長が同世代との友愛的な関係を通じて実現するのと対照的に、父による導きは子の成長を助ける役割を担わず、むしろ子の成長を阻害する存在として描かれた。

ポスト・スハルト体制期のインドネシア映画が提示したのは、父を含む複数の親(大人)によって教え導かれることで子が自立する物語である。この背景には、父が子の成長の阻害となったのは子を守り導く父を社会全体で1人に定めたためという考え方があるように思われる。『ビューティフル・デイズ』では若者たちが親以外の大人たちの助けを借りて恋愛が成就し、『第七ハウス』では旧世代による束縛から解放されて自立した若者たちが家庭を作る物語が描かれた。父を含む複数の大人が子を教え導くことで、子は自分の父に守り導かれることがなくても別の大人から庇護と教導を受けることが可能になる。また、子が成長して大人になったとき、唯一の大人として自分の子に権威主義的な態度で臨むことが回避される。

1998年政変以後に制作・公開されたインドネシアの若者映画は、複数の大人によって子が守り導かれて成長するという新しい成長のモデルを提示することで、子を教え導くという父の役割を否定することなく子が成長する道を示した。これは、スハルト体制期に父の役割に対する信頼が壊れたことで、子が成長した先にあるはずの父になることという目標を子が忌避するという課題への対応でもある。父になることを積極的に描くようになったインドネシア映画で父になることが具体的にどのように描かれるのかについては別の機会に論じたい。

**【参考資料】**

(1) 文献

Abidin Kusno. 2016. *Visual Cultures of the Ethnic Chinese in Indonesia.* London: Rowman & Littlefield.

Anderson, Benedict. 1983 (1991). *Imagined Communities: Reflections on the Origin and Spread of Nationalism.* (1991 Revised and Extended edition). London: Verso. [アンダーソン、ベネディクト（白石さや・白石隆訳）1997『増補版　想像の共同体―ナショナリズムの起源と流行』NTT出版。]
Barker, Thomas A. C. 2019. *Indonesian Cinema after the New Order: Going Mainstream.* Hong Kong: Hong Kong University Press.
Clark, Marshall. 2010. *Maskulinitas: Culture, Gender and Politics in Indonesia.* Caulfield: Monash University Press.
Heryanto, Ariel. 2014. *Identity and Pleasure: The Politics of Indonesian Screen Culture.* Singapore: NUS Press.
Jujur Prananto. 2002. *Ada Apa dengan Cinta?* Jakarta: Metafor.
Michalik, Yvonne (ed.) 2013. *Indonesian Women Filmmakers.* Berlin: Regiospectra Verlag.
Mirwan Andan (ed.) 2018. *20 Kuldesak: Berjejaring, Bergerak, Bersiasat, Berontak.* Jakarta: Kuldesak Network.
Murtagh, Ben. 2013. *Genders and Sexualities in Indonesian Cinema: Constructing Gay, Lesbi and Waria Identities on Screen.* London: Routledge.
Rayya Makarim. 2003. *Rumah Ketujuh: Miles Films.* Jakarta: Metafor.
Sen, Krishna. 1994. *Indonesian Cinema: Framing the New Order.* London: Zed Books.
Sen, Krishna. 2006. "Indonesia: Screening a Nation in the Post-New Order." in *Contemporary Asian Cinema: Popular Culture in a Global Frame,* edited by Anne Tereska Ciecko, Oxford: Berg Publishers, pp.96-107.
Sen, Krishna and David. T. Hill. 2007. *Media, Culture, and Politics in Indonesia.* Jakarta: Equinox Publishing.
Siegel, J.T. 1986. *Solo in the New Order.* Princeton: Princeton University Press.
Shiraishi S. Saya. 1997. *Young Heroes: the Indonesian Family in Politics.* Ithaca: Cornell University.
Sjuman Djaya. 2016. *Aku: Berdasarkan Perjalanan Hidup dan Karya Penyair Chairil Anwar.* Jakarta: Gramedia Pustaka Utama.
Tagliacozzo, Eric. 2014. *Producing Indonesia: the State of the Field of Indonesian Studies.* Ithaca: Cornell University.
van Heeren, Katinka. 2012. *Contemporary Indonesian Film: Spirits of Reform and Ghosts from the Past.* Leiden: KITLV Press.
Yngvesson, Dag S. 2015. "Kuldesak and the Inexorable Pulp Fiction of Indonesian Film History." *Indonesia and the Malay World.* 43 (127). pp.345-377.
白石さや2005「国民統合と家族イメージ：国民文化としての家族の構築」田中真砂子ほか編著『国民国家と家族・個人』早稲田大学出版部、pp.203-218。
白石さや2013『グローバル化した日本のマンガとアニメ』学術出版会。
竹下愛2000「ポピュラー小説「ルプス」シリーズを読む：インドネシアのベストセラー小説にみる「開発の落とし子」たちの心象」『東南アジア 歴史と文化』29、pp.27-53。
土屋健治1982『インドネシア民族主義研究―タマン・シスワの成立と展開』創文社。
永積昭1980『インドネシア民族意識の形成』東京大学出版会。
西芳実2013a「インドネシア 世界にさらされる小さな英雄たち」『地域研究』13 (2)、pp.304-312。
西芳実2013b「信仰と共生：バリ島爆弾テロ事件以降のインドネシアの自画像」『地域研究』13 (2)、pp.176-200。
西芳実2018「インドネシア映画に見る父子関係の乗り越え方：『再会の時』『珈琲哲学』『三人姉妹（2016年版）』より」(CIRAS Discussion Paper 67)、pp.19-29。

(2) 映像（凡例：『邦題』原題．監督．公開年．制作国．）
『クルドサック』*Kuldesak.* Mira Lesmana, Nan Achnas, Riri Riza, Rizal Mantovani. 1998. Indonesia.

『シェリナの大冒険』*Petualangan Sherina.* Riri Riza. 1999. Indonesia.
『第七ハウス』*Rumah Ketujuh.* Rudi Soedjarwo. 2003. Indonesia.
『一切れのパンの愛』*Cinta dalam Sepotong Roti.* Garin Nugroho. 1991. Indonesia.
『ビューティフル・デイズ』*Ada Apa dengan Cinta?.* Rudi Soedjawaro. 2002. Indonesia.
『ボイの日記』*Catatan Si Boy.* Nasri Cheppy. 1987. Indonesia.
『ルプス』*Lupus.* Achiel Nasrun. 1987. Indonesia



**【注】**

1）これとは別の抵抗の試みは、1991年に『一切れのパンの愛』で長編映画の監督としてデビューしたガリン・ヌグロホの作品に見ることができる。『一切れのパンの愛』では、浮気する母と心を病んだ父の姿が頭を離れないために結婚しても妻との子作りに臨めないハリス、婦人雑誌の身の上相談欄を担当している妻マヤン、2人の幼馴染で写真家のトパンという3人の男女の小旅行が描かれる。親の姿が子の世代の新しい家族づくりの障害として明示されている点に特徴がある。最終的にハリスとマヤンはトパンの存在に刺激を受けて名実ともに夫婦となり、役目を終えたトパンは「運命の風にしたがい風の動くほうへ動け」という言葉とともに別の土地へと旅立つ。

2）このことは『クルドサック』の配役にも象徴的に表れている。アンドレを演じたリアン・ヒダヤットは終わらない日常の物語だった『ルプス』の主演俳優であり、『クルドサック』の劇中で死ぬ。アクサンに狂言強盗を行わせたことでアクサンを死に至らしめるきっかけをつくったアラディンは、ガリン・ヌグロホの『一切れのパンの愛』でトパンを演じたティオ・パクサデウォである。アラディンは劇中でアクサンに映画制作を強く勧めるとともに「トゥグ・カルヤ、エロス・ジャロット、シュマン・ジャヤ、あと誰だっけ、映画祭でいつも賞をとる監督、ガリン・ヌグロホ、そういう監督に追従するな」と忠告する。なお、アクサンを演じたウォン・アクサンは、1990年代の若者に人気を博したロックバンドのメンバーであるとともに、1970年代に活躍した往年の映画監督シュマン・ジャヤの息子である。

［書評］

# 『国際文化交流と近現代日本——グローバル文化交流研究のために』

芝崎厚士著（有信堂、2020年）

評者 井上浩子
Hiroko INOUE
●大東文化大学法学部政治学科准教授
（国際関係論、東ティモール研究）

『国際文化交流と近現代日本——グローバル文化交流研究のために』は、本学会の会員でもある芝崎厚士の手に成る。本書は、著者（芝崎）が1999年に『近代日本と国際文化交流——国際文化振興会の創設と展開 1934-45』（有信堂高文社、1999年）を刊行して以来の、本格的な国際文化交流に関する書籍であり、近年はどちらかというと国際関係をめぐる理論と思想の研究者として知られる芝崎の、20年ぶりの国際文化交流史研究——本人の言葉で言えば「本店」回帰——の書である。国際交流の担い手たちへのインタビューを含む、綿密な資料調査に基づいて構成された本書は、豊富な情報量を誇り、「草の根」の国際文化交流の記録としても非常に貴重である。同時に本書は、国際交流の担い手たちによる議論を紹介しつつ、国際交流に関する多様な主題・論点を提示している。国際文化交流（史）を専門としない評者（井上）に論じきれるか甚だ心もとない部分はあるが、以下まずは本書の章立てに沿って内容の紹介を行い、その後簡単な感想を記したいと思う。

本書は、三部八章から成る。第一部「理論的展望と歴史的前提」は三章から成り、第一章「緒論　国際文化交流研究からグローバル文化交流研究へ」から始まる。まず著者は、国際文化事業が「政策と離れた真の理解」を生むことがあるという田中耕太郎の議論を引き合いに、こうした「政策と離れた真の理解」をも研究の対象とすることを提案する。それは、国際文化現象を政治的諸力や経済的諸力の「従属変数」と見なす立場への反駁であると同時に、「人と人との出会いの場」としての国際文化交流現象を捉えなおす新たな研究方法の提案でもある。著者にとって、国際文化交流を研究するということは、「人と人との出会いの場」、即ち感情の「感染」や「体験」の場を研究することであり、さらにはそれによって形成される国際関係／グローバル関係を研究することなのである。

第二章「対外文化政策思想の展開——戦前・戦後・冷戦後」では、近代から現代にいたる日本で対外文化政策がどのように形成され展開を遂げたのかが、対外文化政策を支える思想的側面に注目して論じられる。日本は、戦前から戦中にかけて、自国こそが東西文化の融合を推進できるという自負の下、国際文化事業、そして大東亜文化事業を推し進めた。日本の対外文化政策に見られたこうした「文化的使命感」は、その後も真摯に反省されることなく、戦後の国際文化交流に引き継がれていくことになった。そしてポスト冷戦期、日本の国際文化交流はトランス・ナショナル化とともにネオリベラル化を経験するようになっている。

パブリック・ディプロマシー論、クール・ジャパン論、ブランド国家論など、この時期に新たに登場した国際文化政策に関する様々な議論は、主権国家が衰退する時代にあって文化を「役立つもの」として管理しようとする動きである、と著者は指摘する。

第一部の最終章でもある第三章は「戦前期の日米学生会議――『リンカーン神話』の実像と効用」と題される。日米学生会議は、日本の国際交流活動の嚆矢にして、現在まで続く「民間」の国際文化交流活動の代表的存在であり、自らも学生時代から日米学生会議の活動に関わってきたという著者にとっては「問題関心の原点」とも言えるテーマである。日米学生会議は、1932年、当時青山学院大学の学生であった中山公威の発案により初めて開催された。「学生の、学生による、学生のための会議」という理想を掲げた日米学生会議であったが、国際交流が「官」と「民」の緊密な連携の下で行われた時代特有の困難に直面した。「民間」の国際交流の実践を後付け、同時代の政治的ダイナミクスとその中で展開する国際交流思想を描き出す点で、第二部に通じる部分を持つ章である。

第二部「グローバル文化交流の胎動」は、本書の中で半分以上の頁数を占めることからもわかるように本書の中心をなす部分であり、「あとがき」でも述べられるように本書の着想の端緒となった部分でもある。

その一つ目の章、第四章「『国際交流のつどい』から『多様性を共に支え合う社会づくり』へ」は、1979年に北海道七飯町で始まった、来日留学生を対象にしたホームステイ・プログラム「国際交流のつどい」が、回数を重ねた後に法人化され発展していく過程をたどった章である。七飯町で英語塾を開いていた秋尾晃正が母校早稲田大学の留学生たちの受け入れをすることになり、そこから毎年の「つどい」が育っていった。さらにその集いは、朝日新聞の天声人語で掲載されたことを機に様々な助成金を得て、北海道を代表する国際交流組織「財団法人北海道国際交流センター（HIF）」へ成長していく。著者の関係者に対する丹念な聞き取りと、関係者から提供された資料（交歓会のプログラムや、交流の様子を撮った写真、そして日本語・英語による新聞報道の記録など）で構成される本章は、国際交流にかけた人々の熱意はもちろん、参加した人々の楽しげな学びの様子を生き生きと伝えており、同プログラムが国際交流を通じて人を育てる「無形の学園」たり得たことが良くわかる章である。

第五章「箱根会議（1988-97年）研究序説」は、国際交流関係者たちが集まる場として1988年から10年にわたって開催された「箱根会議」を、その創設過程にさかのぼって検証する章である。箱根会議は、留学交流関係者の集まりである「億人（オクト）の会」で発案され、2年近くに及ぶ長い準備過程を経て、第1回会議が開催された。箱根会議は第1回会議の後も、「共生」（第4回から第6回）、「国際交流のグランド・デザイン」（第7回・第8回）、「イニシアチブ」（第9回・第10回）

などを含む言葉をテーマに、参加人数を増やしながら例年開催され、国際交流に関する活発な議論の場となった。本章は、楽しく充実した箱根会議の雰囲気を、豊富な資料（リーフレットや写真付き参加者名簿、平野健一郎座長の挨拶文や問題提起、会議や懇親の様子を写した写真など）を使って伝えている。箱根会議は著者が指摘するように、まさに、国際交流の担い手のネットワーキングの場となり、国際交流の担い手の交流と育成の場となり、なにより皆が元気になれるような祝祭的な場となったのであった。

第六章「「グランド・デザイン」論から「カタリスト」論へ」では、箱根会議の中心メンバーの一人でもあった伊藤憲宏による、国際交流をめぐる議論——国際交流思想——が論じられる。中でも著者・芝崎が注目するのは、「異人（性）」「幻視性」「響き合い」「カタリスト」と言った言葉で示される伊藤の思想である。伊藤は、国際交流の担い手に「新崇高な理念や思想・価値観・計画に基づき活動を行い、人々や社会に刺激を与え、変革を行う人」、即ち「カタリスト」としての役割を期待した。「〈異界・異人〉との関わりに自らを開くこと」こそが人間の豊かさと自由の源泉であることを信じる伊藤の思想を、著者は、「国際」が特別な地位を与えられていた1990年代にあって、「国」単位に限られない文化の位相、文化交流の多様性を見通すものであったとして評価する。

第三部「国際／グローバル文化交流の理論と思想」は、二章構成である。その最初の章である第七章「翻訳、文化、人間——柳父章と国際関係研究」は、柳父章の三冊の本の書評という形式をとった、著者・芝崎による国際文化接触に関する議論である。柳父は、近代日本が日本語の文脈からは意味を持ちえない翻訳語を通して外国文化と出会ってきたこと、そして翻訳語がもたらす「カセット効果」（翻訳語が日本語の文脈からは意味をなさないにもかかわらず魅力や権威を持ってしまう現象）とともに日本の文化が変化してきたことを指摘する。著者は、柳父の議論を平野健一郎の文化要素の受容過程に関する議論などと重ね合わせながら、翻訳語（のオモテ・ウラ構造）が作り出す「未知との出会い」の可能性を指摘する。それはまた、翻訳学問と揶揄されることもある日本の国際関係研究そのものを、国際関係の中において見つめなおそうとする試みである。

第八章「脱国民国家の思想からオルター国民国家の思想へ——入国民国家の思想を手掛かりに」は、第三部の終章であり、本書の最終章でもある。ここで筆者は、「国民国家」の思想が導入され定着していった過程、即ち「入」国民国家の思想と論理構造を、朝永三十郎と田中耕太郎という二人の人物の議論を手掛かりに検討する。著者は、朝永、田中がそれぞれに世界国家の可能性を封じたり、先送りしたりすることで国民国家、主権国家に可能性を見出したことを指摘する。そのうえで、単に世界国家の可能性を再検討することで「脱」国民国家を目指すのではなく、〈自我・国家・国際関係〉

という図式に代わる「世界の出来上がり方」を構想しなければならないと論じる。

以上、『国際文化交流と近現代日本』を章立てに沿って見てきた。本書は、国際交流に関する非常に多様な主体や主題を非常に多様な方法で扱う一方で、「グローバル文化交流」という一貫したテーマ、副題を掲げている。この「グローバル文化交流」という言葉で示されるのは、国民や国家以外をも主体として見出す研究の手法のみならず、様々な主体による文化交流とそれを通じた「未知との出会い」こそが人間社会に「豊かさ」をもたらすのであり、オルタナティブの模索にも不可欠である、という著者の信念である。

本書では、「グローバル文化交流」の全体像が具体的に示されているわけではなく、代わりに小さなグローバル文化交流の物語が各章にちりばめられている。「南北海道国際交流の集い」が催した留学生受け入れ事業で、「この忙しいのに知らない外人さんを何でおいらの家に泊めなきゃならないんだべか」と言っていたじい様が、「顔中ひげだらけのブラジルの青年」を迎えて「共に働き、畑のスイカを食べながら語り合う」中で、「おらばこのたった2週間で人間ば変わったような気がするべ」と言うようになったというエピソード（第四章）は、未知との出会いが自分に対する新たな発見をもたらした良い事例だろう。

他方、箱根会議についての研究である第五章では、「国際交流の先にある『魅力ある豊かさ』とは何なのか」、「誰のための国際交流なのか」といった問題を国際交流の担い手たちが議論する様子が描かれる。こうした議論は、当時「グローバル文化交流」がどのように構想されたのかを知る上で大変重要である。その一方でこの章では特に本会議の分析はほとんど手つかずのままであり、この点は今後の研究が待たれるところである。著者の言うオルター国民国家の思想が、「個人から世界全体に至る有機的かつ重層的な連携」による「世界の出来上がり方」を探ることに始まるのであれば、箱根会議に見られるような「グローバル文化交流」の思想と実践、そしてそこで起きた「未知との出会い」の詳細を一つ一つ明らかにすることは、まさにオルター国民国家の思想を紡ぐことなのではないだろうか。

# 会員の著書紹介

奥田孝晴

**『国際学の道標——地球市民学への道を拓く』**

創成社、2019年

筆者の国際学研究の中間的総括として、「森羅万象のかかわり／つながり／交わり」の探求と地球市民的視点の獲得、未来の創造のための知的運動としての「国際学」を、幾つかの課題を通して考察した。本書は12本の「道標」（章）と6編の「道草」（史的考察コラム）から成り立っている。各章では権力エリートの占有物だったかつての国際関係論から市井市民の共生・連帯を通した民際論、地球市民論へと生成発展する「国際学」の系譜の俯瞰から始まり、「豊かさ」の質的再検討、現代フェアトレード論、中枢—周辺構造をふまえた「トウキョウートウホク」論、「核」と市民社会、現代アメリカ帝国、戦争責任と戦争犯罪、「死者」と国家、東アジア近現代史共通歴史教科書作りの実践などを話題とし、最終章ではより善き地球市民社会を創造する実践理性の在り方を語っている。またコラムにおいては、筆者のこれまでの幾つか「旅」（関門海峡、ダッカ国立博物館、ソウル、ハルビン、福島大熊町等）を辿ることを通して、国際学の課題を歴史的観点から考察した。本書が「国際学」という「知の運動」をより発展させていくための一助となることを期待している。

Takaharu Okuda & Editorial Board of the English Version

**『"Higashi Asia Kyodotai Eno Michi," *On the Road to the East Asian Community*』**

春風社、2019年

本書は2005年5月から筆者勤務校（文教大学湘南校舎）で始まった、日本人学生、アジア留学生、学外市民を交えて進んだ自主講座的研究会の研究成果の英語版である。東アジア諸国民間の軋轢の根本的原因である、いわゆる「歴史認識の相違」を克服すべく、今、形を成しつつある「東アジア共同体」に生活する市民の立場から、ナショナリティーの呪縛を乗り越えて俯瞰的に東アジア近現代史を再構成し、「東アジア市民の視点からの歴史の紡ぎ方」を具現、細述した。2001年の「9.11」までの記述である既刊日本語版『東アジア共同体への道』（文教大学学術出版部・2010）に加え、2016年度から再開された研究会の成果を反映し、19世紀のアジア植民地化から「3.11」、朝鮮半島危機に至る直近史までを“書き切り”、520頁の大部な英語版となっている。学生・市民による「共通歴史教科書」の試みは、狭く独善的な国益保守に汲々とし、また排外機運を醸成して自らの統治責任を回避しようとする権力者たちへの批判でもある。“The more people to walk, it is on the road.”（魯迅）の言葉通り、東アジア共同体市民へ至る一つの「道」を作り上げてきた記録としてもご一読いただきたい。

鈴木隆泰
**『如来出現と衆生利益——『大法鼓経』研究』**
春秋社、2020年

仏教は「仏（ブッダ）の説いた教え」であると同時に、「仏に成るための教え」であるといわれる。では、なぜ人は覚（さと）りを得て仏に成れるのであろうか。その理由を理論的に説明した思想が「仏性（ぶっしょう）思想」である。この仏性思想においては、われわれは例外なく「仏としての本性（本質）」をそなえていると説かれる。だが、「みなさんは仏さまとしての本性を持っているのですよ、みなさんの本性は実は仏さまなのですよ」と言われても、現実にはわれわれは迷いのただ中にいて、覚りとはほど遠い生活をしている。本当にわれわれの本性は仏なのであろうか。では、なぜ迷っているのであろうか。さらに、逆に考えると、もしわれわれの本性が仏なのだとしたら、仏に成るために修行する必要もないことにはならないであろうか。この二つの問題を鮮やかに解決したのが、本書『如来出現と衆生利益』が扱った『大法鼓経（だいほっくきょう）』という経典である。仏性思想はこの『大法鼓経』において、一つの極致を迎えたのである。（本書は2019年度科学研究費補助金の助成を受けて刊行された）

目黒志帆美
**『フラのハワイ王国史——王権と先住民文化の比較検証を通じた19世紀ハワイ史像』**
御茶の水書房、2020年

本書の課題は、ハワイの伝統舞踊フラをハワイ国王の王権の正統性維持手段として捉える観点から、王権を取り巻く政治的・経済・社会的変遷をふまえつつ、歴代ハワイ国王が行ったフラ政策の具体的な実相を解明することにより、フラが時代とともに変容した要因を明らかにすることにある。

これまでハワイの歴史は「白人による抑圧とそれに対するハワイアンの抵抗の物語」として描かれてきた。しかし、併合以前のハワイ王国には、ハワイアンの国王を頂点とした統治体制が存在し、統治者としての国王には、王国内において影響力を強めていく白人諸勢力と対峙する一方で自らの権威のもとに国民を統合・統治する責務が課せられていた。したがって、王権に着目しつつハワイ史を再構成することは、従来の二項対立的分析枠組みでは解明しえなかったハワイアン内部の重層的な権力関係の解明につながると考えられる。こうした着想のもと、本書はハワイの伝統舞踊であるフラに注目し、これを王権とのかかわりのなかでとらえなおすことにより、歴代国王が王権の正統性を維持する媒体としてフラを用いてきたこと、およびフラの変容が王権の消長と密接な関連を有していたことを明らかにしている。

森島豊
**『抵抗権と人権の思想史——欧米型と天皇型の攻防』**
教文館、2020年

本書は、欧米と日本の人権思想の生成過程を宗教的要素に注目して比較検討し、欧米型人権が必ずしも日本に定着しなかった理由を、日本特有の人権（天皇型）の流布という点に注目している。

第一部では人権理念の法制化過程にキリスト教の影響があることを神学思想史の方法で明確にしている。宗教的要素から展開した抵抗権思想が世俗化した社会に受容され、抵抗権が人権思想を支えたことを考察している。キリスト教人権思想は日本にも浸透し、植木枝盛、吉野作造、鈴木安蔵の三者を通して日本国憲法制定過程に潜在的な影響があったことを実証した。

第二部では、日本において欧米の人権が形式的に法制化する一方で、精神的に人権思想が根付かない理由を思想史的に考察している。具体的には、抵抗権の無い日本の伝統思想に基づく人権の生成を思想的淵源から辿り、維新政府の宗教・教育・軍事政策が日本特有の人権（天皇型人権）を醸成したことを実証している。

最後に、GHQが明治政府の作ったこの構造原理を残した経緯を紹介し、現在の自民党憲法改正草案に天皇型人権が現れていることを通して今日的影響を明らかにしている。

[博士論文紹介]

# 『ジャーナリスト、ミレナ・イェセンスカーの仕事――1920年代のモード記者としての活動を中心に』

(東北大学大学院国際文化研究科：2020年5月29日提出、
2020年9月25日学位取得)

半田幸子
*Sachiko HANDA*
●ノースアジア大学講師
(中欧文化史、比較文化論)



本論文は、両大戦間期のチェコにおいてジャーナリストとして活躍したミレナ・イェセンスカー(Milena Jesenská, 1896-1944)の執筆活動を取り上げたものである。これまで未確認であった彼女の記事に関する基礎資料を掘り起こし、先行研究の不足を補いながら丁寧に整理した上で、ひときわ華々しい活躍を見せた1920年代のモード欄での執筆活動に焦点を当て、その活動の意義を明らかにした。

1896年にプラハで生まれたイェセンスカーは、第一次世界大戦終結直前の1918年3月に父の反対を押し切ってユダヤ人と結婚した。翌年、経済的理由からチェコの日刊紙で翻訳やエッセイ執筆の仕事を始め、1920年代を通して、主にチェコの日刊紙3紙(『論壇』、『国民新聞』、『人民新聞』)に順に携わり、各紙のモード欄で記事執筆や編集を担当した。1926年創刊の写真週刊誌『鮮やかな週』では創刊にも深く関わった。「ミレナさん」と呼ばれ、記者、エッセイストとして中間層の若年中年世代の女性読者を中心に、子どもや男性も含めた幅広い層の間で人気を博した。

チェコ史において両大戦間期は、帝国の支配を脱し新生国家チェコスロヴァキアとしての国づくりが行われた極めて重要な時代である。この時代に彼女が活躍したという事実、また彼女が深めた交友関係からも、彼女の存在は注目に値するものである。翻訳者として駆け出しの頃には、今や20世紀を代表するプラハのユダヤ系ドイツ語作家カフカ(Franz Kafka, 1883-1924)と情熱的な書簡を交わしていたことは周知の通りである。と同時に、1920年代には、中欧美術史研究においても重要視されるチェコ・アヴァンギャルド芸術集団「デヴィエトスィル」(Devětsil, 1920-1931)の面々とも公私ともに深い交流を持っていた。

イェセンスカーとは、「カフカの恋人」の枠内にとどまる人物ではなく、1920年代のチェコおよび中欧の文化を語る上でも不可欠な存在なのである。しかしながら、言語的および政治的な理由から、彼女の記者としての活動はこれまで長らく等閑に付されてきた。

彼女のモード記事をテーマの中心に据えた研究は、2001年に英語圏で出版されたヘイズの編著書『ミレナ・イェセンスカーのジャーナリズム』の序章41頁のみで、彼女の記事の体系的な整理や、とりわけモード記事の綿密な分析はこれまで行われてこなかった。したがって、本論文は、彼女の活動全般にわたる記事の収集と整理、およびモード記事の分析を行う点で、基盤的かつ先駆的研究と位置付けることができる。

本論文の分析対象は、主に1920年代に掲載されたイェセンスカーの記事および著書とし、内容的観点から1930年6月1日までに掲載された記事も含めた。

本論文は2部構成で、第1部は、イェセンスカーの活動全体を把握するもので、第1章において、前提知識となるチェコの両大戦間期のジャーナリズム史の概要を確認し、第2章でイェセンスカーの執筆活動を、記者になる以前のギムナジウム時代から、翻訳、文芸、モード、1930年代に分け、それぞれの活動ごとに時代順にまとめた。

第2部においては、彼女の記事のテクスト分析を行った。第3章で、想定した読者像および彼女のモード記者としての矜持を明らかにし、第4章では、読者である中間層の女性たちに服飾を通して「シンプル」な考え方や生き方を理想的なものとして提唱していたことを明らかにした。

第5章では、大量生産・大量消費時代における個性のあり方に対する見解、心身の鍛錬と衛生を重視する見解を明らかにし、また、自らの理想を語る際に一般読者の関心の高い外国イメージを利用したことを論じた。最後に、消費時代における服飾の流行は無意味なものとして否定しながら、シンプルや合理性を追求する点で時代の空気と合致する洞察力の鋭さを指摘した。

本論文の特色は資料として添付した記事目録にある。この目録は、イェセンスカーおよび周辺分野の研究において役に立つはずである。彼女の記事数はこれまで1000以上とされ、漠然としていた。本論文にて、少なくとも翻訳記事306本（連載記事は各回1本）、一般記事1118本、総数1424本に上ることが明らかとなった。そのほとんどが、これまで存在すら知られないまま歴史に埋没してきたものである。伝記での言及やアンソロジーを手がかりにプラハの国民図書館等で調査収集を行い、すべての所在を明らかにした。1920年代の記事だけで1000本に迫ることも明らかとなった。

イェセンスカーといえば、長らく「カフカの恋人」としての側面に、あるいは波乱に富んだその人生に、目が向けられてきた。ジャーナリストとしての側面に光が当たるようになった後も、モード記者としてよりも、ジェンダー論的「自立した女性」像や反ナチズムとの観点から「ペンで立ち向かった勇敢な女性ジャーナリスト」という、それぞれのイデオロギーに見合うような切り口で語られてきた。しかしながら、手掛けたモード記事（900本以上）が彼女の活動の大部分を占めることを考えれば、1920年代の彼女のモード記者としての活躍や矜持を抜きにして彼女を語ることは到底できない。

本論文は、この点を補完することで、イェセンスカーおよび周辺分野の研究に新たな視座を投じ、イェセンスカーの実像をより的確に捉えることを可能とした。加えて、記事目録を添付したことで、イェセンスカーの著作研究の基盤づくりに貢献するものとなった。

[博士論文紹介]

# 『朝鮮人学校存廃問題の歴史過程――1945-1957 グローバル・ヒストリーの視点から』

(早稲田大学大学院政治学研究科：2020年1月7日提出、2020年3月15日学位取得)

崔　紗華
Safa CHOI
●同志社大学社会学部助教
(国際関係史)

現在、日本には約70校の朝鮮人学校が存在する。これらの学校は私立各種学校であるがゆえに、様々な公的支援制度の適用から除外されている。本論文はこのような現状に問題を抱いたことを起点に、朝鮮人学校がいかに私立各種学校として存続したのか、その歴史的な過程を分析したものである。

従来の研究では、朝鮮人学校の存続プロセスが描かれる際、主に教育史、教育制度史の視座に依拠し、日本という国民国家の領域内に主な関心を注いできた。たとえば、教育史の研究においては、日本政府と朝鮮人学校という二つの主体間の対立関係に主たる関心が置かれてきた。その結果、朝鮮人学校の存続プロセスが描かれる際、主として日本政府からの抑圧に対する朝鮮人学校側の抵抗や運動にその要因が求められてきた。それに対し、教育制度史の研究においては、そのような二項対立の分析視角を脱却する試みとして、地方自治体の役割や部分的に日韓関係の動向に光があてられ、朝鮮人学校側の要求と地方自治体の対応によって朝鮮人学校が私立各種学校化したと主張された。地方自治体が中央政府と同一軌道に乗っていないという点は重要であるものの、教育制度史の性格上、分析の視野は教育制度形成プロセスに直接かかわった要因(immediate factor)に収斂しており、また国民国家を基本的な思考単位とする方法論的ナショナリズムに陥っているという限界が存在した。

それに対し、本論文は朝鮮人学校が私立各種学校として存続する初期条件が如何に形成されたのかについて、国際関係史の視座から明らかにすることを目的とした。本論文は、朝鮮人学校が日本全国に設立された1945年から、私立各種学校化への初期条件が形成された1957年までを対象とした。それは、1957年までに朝鮮人学校が自主的な運営費によって自主的な教育を実施する環境を整備したためである。つまり、公教育の枠外で教育を実施する基盤が形成されたのが1957年だったということである。

本論文は朝鮮人学校の存廃をめぐる問題を、国際関係史、とりわけグローバル・ヒストリーの研究として再構成することを試みた。従来の歴史研究が欧米中心主義や一国史的な枠組みに偏ってきたことに対し、グローバル・ヒストリーはそれらを相対化する新しい研究手法として注目されている。本論文では、グローバル・ヒストリーを、個人、非政府主体、地方自治体、国家、国家間、越境的次元、地球的ないし地域的次元の絡み合いを明らかにするアプローチないし研究手法として定義した。すなわち、本論文におけるグローバル・ヒストリーは研究対象時期の長さや広域的な範囲を対象とする研究を指すのではなく、近年欧米で提唱されているように、一つの歴史的な事象の多元的な側面を明らかにする手法として捉えている。

朝鮮人学校が私立各種学校化するプロセスをグローバル・ヒストリーの視座から検討することによって明らかになったことは次のとおりである。1952年4月対日講和条約の発効によって日本の朝鮮半島に対する主権が喪失し、これまで日本国籍を有してきた在日朝鮮人の就学義務がなくなり、朝鮮人学校は公教育の枠外に置かれた。しかし、それと同時に朝鮮人学校側も公教育の枠外に置かれること、すなわち私立各種学校化を自らも選択した。

その選択の背景には1950年代半ばに展開された冷戦の緊張緩和があった。冷戦の緊張緩和を背景に朝鮮民主主義人民共和国（北朝鮮）政府が対日接近を試み、また在日朝鮮人との越境的な互助関係を構築した。北朝鮮政府にとって在日朝鮮人は、日朝関係を結ぶ媒介役だったのである。それに対し、在日朝鮮人もこれに呼応した。多くの在日朝鮮人が朝鮮半島の南部を出身としながらも、階層関係の是正を求め共産主義に傾倒し、北朝鮮政府を支持したのである。その結果、1955年、北朝鮮政府の指導のもとで在日本朝鮮人総聯合会（総連）が結成され、朝鮮人学校はその独自の指導の下で運営されたのであった。1957年には、北朝鮮政府から総連に多額の教育費が送金され、これにより朝鮮人学校は自主的な資金によって自主的に運営する態勢を整えた。従来、この資金は北朝鮮政府による在日朝鮮人への教育支援が目的だったと分析されてきたが、本論文ではこの資金が日朝国交正常化の達成や朝鮮半島の平和的統一の達成に向けて、在日朝鮮人を動員するために送られたものであったことを明らかにした。

本論文の学術的な独自性は、次の三点である。第一に、方法論的ナショナリズムの克服を試みた点である。従来の国際関係史が無意識の前提として国民国家を主な分析対象としてきたのに対し、本論文は在日朝鮮人と本国との越境的な視座、在日朝鮮人コミュニティの視座を取り入れた。第二に、エリート中心主義の克服である。本論文は在日朝鮮人および朝鮮人学校に光をあて、彼ら／彼女らが主体的にアイデンティティを確立していく過程を描いた。これにより、従来の国際関係史で等閑視されてきた個人を歴史の主体として捉え直した。第三に、日本のドメスティックな文脈の中で表象されてきた従来の在日朝鮮人研究に対し、本論文は朝鮮人学校をめぐる個別・具体的な問題が多元的な要素によって構成されているという事実を明らかにした。

本論文は基礎的ではあるが、日本で圧倒的に不足している越境的なマイノリティーの国際関係史を発展させる土壌を提供し得る。

[国際文化学　私の3冊]
# 国際文化学2020への示唆

岡　眞理子
Mariko OKA-FUKUROI
●帝京大学特任教授
(対外文化政策論、フランスの文化政策研究)

## 1　地域研究と専門分野研究の関係とは

Theodore C. Bestor, Patricia G. Steinhoff, and Victoria Lyon Bestor ed.
***Doing Fieldwork in Japan***,
Honolulu: University of Hawaii Press, 2003.
(邦訳なし) 本文373ページに日本語のGlossary、参考文献、著者略歴、索引。

私が教鞭をとっていた青山学院大学総合文化学部の「国際文化ゼミ」では、ゼミの最終目標である海外文化研修旅行を豊かに実施するために、3年の後期に本書を読むというのが学生たちに課されたタスクであった。ひとり平均20ページの英語のエッセイを読み解くということは、英語読解力の向上という意味でも、異文化社会を見聞するという観点からも、苦しいけれど避けて通れない道と考えたからである。日本という社会を身近に知っているはずの日本人学生にとっては、外国人研究者の直面する困難さを想像するのにハンディがないため、内容について英語という障壁が越えやすくなるという利点がある。また、異文化に触れたり研究したりするときに自分たちが遭遇するかもしれない未来の課題や、それを克服するための姿勢や方法についても、逆照射によって予見することが容易になるという利点もある。

本書は、21人の主としてアメリカの日本研究者が、日本人社会にどのように入り込んでフィールドワークを行ったかについての経験と考察を集めたものである。大学院生や若手研究者に対して、現代日本社会についての生きた体験と示唆に富んだ助言が綴られている。テーマは、若者文化、学生運動、新興宗教、四国巡礼、JETプログラム、検察制度、沖縄基地問題、官僚機構、メディア、地方コミュニティと都市生活、日系ブラジル人など多岐にわたる。そのなかで、人から人へアクセスを広げることの重要さ、参与観察者としてホスト組織に溶け込みすぎることのリスク、エピソードは豊富でもデータが貧困であることの不都合、女性研究者であることの悩みなどが語られ、どの研究者もアメリカで同じような研究プロジェクトを行う場合との違いを意識せざるをえないと述べている。

編者による序章で、すべてのエッセイに通底するかに見える重要な指摘がなされる。日本社会は、これまでエリアスタディーの伝統のもと、学問領域横断的な研究のまさに目標とされてきたが、実は優れたフィールドワークは、地域研究と専門分野の標準的な研究方法のどちらにも成果を提供してくれるものだという。ローカルな知識に基づく地域研究のトレーニングとグローバルな理論に支えられる社会科学のトレーニングは、「レンガ積みのような職人芸」と「壮大な建築物」にもたとえられ様々な点で対照的とされるが、相互補完的でもある。歴史学や人類学では地理的文化的基盤の重要性を認識するのに対して、社会学や経済学ではときとして対象となるエリアの美しい写真を撮ることよりも、理論というレンズを磨くことに関心を向けるが、研究者が風景にレンズのピントをきちんと合わせれば、画像の鮮明度や深度を飛躍的に改善できるのだ。この指摘は、文化と文化の間に拡がる風景の写真を撮ろうとする国際文化学に、とりわけ勇気を与えてくれるものではないかと思う。

本書からは、テーマや方法論の違い、置かれた研究環境の多様さを越えて、日本におけるフィールドワークのさまざまな可能性が浮かび上がってくる。事前の日本語学習は重要であるが、フィールドワークを行うこと自体がテーマに適した日本語能力の向上につながること、複数の研究者たちの体験を知ることが若い研究者たちにフィールドと研究テーマへの道筋を見つけるための自信を与えること、研究プロセスにありがちな遅延は却って豊かな最終成果をもたらすことなどが共通して明かされる。

編者は序章の最後で、「フィールド研究者たちは、適切なトレーニングと忍耐心と創意工夫をもって見聞観察することによって、いかに日本の社会が信じられないほどオープンで多様で多声の社会であるかを発見できる」と締めくくっているのだが、出版から10数年を経過した日本社会は、本当にそうと言えるであろうか。ポストコロナ時代のDoing Fieldwork in Japanの執筆が待たれるところである。

## 2　ケベックのインターカルチュラリズムに学ぶ

ジェラール・ブシャール
**『間文化主義　インターカルチュラリズム——多文化主義の新しい可能性』**
丹羽卓［監訳］　荒木隆人・古地順一郎・小松祐子・伊達聖伸・仲村愛［訳］
彩流社、2017年　本文358ページに監修者後書き、参考文献、監修者・訳者略歴。
Gérard Bouchard
***L'interculturarisme : Un point de vue québécois,***
Montréal: Boréal, 2012.

上述のゼミ活動とは別に、大学の枠を超えて社会と連携する科目であるラボ・アトリエ実習の枠組みで、2009年1月からカナダ・ラボを立ち上げた。学生たちは2年をかけて、多文化・二言語を柱とするカナダの建国理念を理解し、カナダ文化の魅力とその原動力を発見していくプロジェクトに取り組んだ。このカナダ・ラボのハイライトとして、2010年3月に約2週間にわたり東部4都市を巡る研修旅行の期間中、期せずしてモントリオールとトロントの2か所で、専門家の講義から「インターカルチュラリズム」という概念について衝撃的な洗礼を受けた。ちょうどケベックでは、「インターカルチュラリズム」の言説が広く語られ始めているころであったが、その中心人物が著者のブシャールである。

著者は序章で、多元主義には複数のモデルがあるが、それぞれのネイションが自らの遺産、制度、制約、感性、不安、願望などに適した方式を考案すべきであり、本書の第一の目的は、ケベックに適した「統合モデルおよびエスニック文化的多様性の管理モデルとしての間文化主義について私の見解を提示する」ことであると述べている。

第1章では、エスニック文化的多様性に関する考察の枠組みとなり、モデル選択の前提や条件ともなるケベックのためのパラメータを提示する。次に、多様性管理のモデルの基盤をなす5つのパラダイム（多様性、均質性、二極性または多極性、混合性、二元性）を見直し、これらのパラダイムに結びつけられる様々なモデル（多文化主義、同化主義、共和主義、多極共存主義、間文化主義、など）を紹介する。第2章では、ケベックから見た間文化主義の概念を説明する。間文化主義が提案するのは、差異を尊重しつつ共生することを目的として、「創設のマジョリティ」であるフランス語文化を中核にして、マイノリティであるエスニック文化の軌跡を結び付け、接触と交流によって普遍的価値と市民の権利からなる共通文化を広げ、ナショナルな文化の形成を推進することであるという。第3章では、二元性パラダイムに属するケベックの間文化主義と、多様性パラダイムに属するカナダの多文化主義を比較考察するなかで、カナダの多文化主義が近年間文化主義に近づく形で変容してきていることを指摘する。第4章では、ブシャールの見解に対する代表的な批判を、マジョリティ文化の未来についての不安に起因する文化的次元と権利の尊重についての不安を表明する社会的次元に大別し、17の批判に答えながら、第2章で述べた内容への補足的で多角的な議論を展開する。第5章では、間文化主義の基本理念から着想を得た包摂的ライシテ体制が5つの構成要素（信仰または良心の自由、諸信仰体系の平等、国家と諸信仰体系の分離あるいは相互の自律性、宗教に対する国家の中立性、慣習化・遺産化した価値）のバランスによって成り立つことを示し、それに基づき、近年のケベックにおける論争の火種になっている公的機関における宗教的標章の問題を具体的に論じる。そして、ブシャールは最終章の結論で、バランスと公正のモデルである間文化主義はケベックの社会にとって最適の選択であるが、その精神を政策やプログラムに移すには、取り組むべき課題が多く残されているとし、間文化主義をケベックの統合と多様性の管理運営のモデルとして公式化する政府文書の必要性を強調している。

著者の見解は、膨大な先行研究やケベック州政府と連邦政府による政府文書や政策声明などの克明で緻密な分析によって根拠づけられているが、それらに注の出典でしか触れることのできない読者にとっても、十分力強く説得的である理由はどこから来るのだろうか。

まず第1に、ブシャールはケベック社会の研究者としてはもちろん、将来への不安と夢を共有するひとりのフランス系ケベック市民として、あふれる真情をこめて本書を著した。彼はまた、ケベック州政府の委託を受けた「妥当なる調整」委員会の共同委員長として、ケベックで州民的議論を巻き起こした数多くの事例調査を通して現場に寄り添い、市民との対話をリソースとしてケベックの間文化主義モデルを構築している。このような理念と現場の間の絶えざる往還と検証が、読者を惹きつけてやまない。

さらに、フランス語系カナダを出自とするケベック州民は、創設のマジョリティとしてマイノリティの移民を受け入れる一方で、自らはカナダの、ひいては北米のマイノリティであることの不安と脅威を自覚し、二重の位置を調和させるという困難な状況に常にさらされていることを、ブシャールは繰り返し指摘する。著者はこの入れ子構造を地政学的に法的に解釈するだけでなく、文化的次元や社会的次元で検証分析しているので、ケベックのフランス語系マジョリティの置かれた環境の厳しさに読者も深く共感することになる。

もう一点、長らくその理由が明示的に理解できていなかった個人的疑問、すなわちヨーロッパの間文化主義的アプローチとケベックの間文化主義の違いについて、興味深い発見があった。ブシャールによれば、統合モデルとしての間文化主義は、マクロ社会的な規模とミクロ社会的な規模で展開される。前者はエスニック文化間の関係についての概念にかかわり、国家・ネイションの方針・政策という形で表現され、後者は公的・私的機関（学校や企業など）や共同体での日常生活の中でエスニック文化多様性を生きる術にかかわる。欧州評議会の推進する「インターカルチュラル・シティ」などは、ミクロな社会レベルにおける間文化性の思想および実践として取り入れられたが、ムスリムをめぐる事象の増大により、このアプローチでは限界があり、ケベックと同様、マクロな社会レベルにおいて間文化主義を展開していくことが期待されるというブシャールの説明に、目の前の霧が晴れたような気がした。

監修の丹羽卓氏の指摘にもあるように、本書は、到来しつつある多様な日本社会のあり方を考えるうえでも、必要不可欠な論点を整理し提供してくれている。外国人労働者に頼らざるをえない21世紀の日本社会は、マジョリティ文化を想定せず多元文化の並列的な共存をめざすカナダ連邦というより、創設のマジョリティ文化が存在するところに複数のマイノリティ文化を受け入れるという二元的なケベック社会の構造に似ている。ブシャール自身が、「（間文化主義が切り開く）展望は、ケベックのみならずエスニック文化的な現実がマジョリティ／マイノリティ関係をもとに考えられているすべての社会にとっても、期待が持てるものである。」と述べていることに注目したい。

### 3　21世紀の記号論——人文学は何をすべきか

石田英敬、東浩紀
『新記号論——脳とメディアが出会うとき』
ゲンロン、2019年　本文438ページに参考文献。

フランスの文化政策・対外政策を記述するという目標をもって社会人入学した東京大学総合文化研究科言語情報科学専攻の時代に、指導教員として導いてくださったのが石田英敬氏である。その石田氏の連続講義「一般文字学は可能か——記号論と脳科学の新しい展開をめぐって」が、教え子で作家の東浩紀氏が聞き手となって、3回にわたって都内のゲンロンカフェで行われた。

講義は、廃れたかに見える「記号論」の21世紀における更新を目的としているが、石田の挑戦はさらに大きく、ライプニッツ、スピノザ、パース、フロイト、ソシュール、フッサールらを読み直し、哲学、論理学、脳科学、認知神経科学、社会学、メディア学等を総動員して、「ソーシャルネットワークと人工知能の時代にふさわしい、新しい人文学をもういちど打ち立てる」という「壮大な試み」であったと、東はまえがきで述べている。ここには、20世紀初め以来分岐してしまった理系文系のインターフェースへのヒントや、ある理論を構造化するための歴史や分野を越えた補助線の引き方へのヒントが詰まっている。石田が膨大な古今の著作や最新の研究成果を引用しつつ、緻密な論理構成と最終到着点を見失わず、東との対話を楽しみながらも一気に最後まで語りきるさまに、聴衆は心地よく圧倒されたことだろう。読者も二人の卓越した知性に導かれて、少しあとからスリリングな知的冒険の旅にいざなわれることになる。

第1講義「記号論と脳科学」

2017年2月17日

世界の現実を見ると、生活は隅々までコンピュータ化し「記号論化」しているのに、ソシュールやバルトなどの言語中心主義の「現代記号論」ではその解明は不十分であり、ライプニッツやロックなどのバロック記号論までさかのぼって、デジタル革命後の時代にふさわしい情報記号論をつくるというのが石田のストラテジーである。まず石田は、アメリカの視覚認知科学者マーク・チャンギージーらの研究により、「ヒトはみな同じ文字を書いている」ということが実証された、すなわち人の視覚が自然界の事物の相互位置関係を見分けるとき、立方体の稜がLやTやXの形やその変形に見えたりするが、文字システムのなかでL形、T形など36の要素が出現する頻度分布をグラフ化すると、どの文字・記号システムでも同じように分布することが分かったという、驚くべき研究について解説する。さらに、フランスの脳神経科学者スタニスラス・ドゥアンヌが、人間が読み書きを習得する過程で、自然界における空間識別を扱う領域を、文字を見分けるという活動へ転用して、読字・読書に振り向けているというニューロ・リサイクル仮説を立てたことを紹介し、これら自然科学の側からの刺激的な最新知見に応答するような一般文字学からの研究が必要だと述懐する。

第2講義「フロイトへの回帰」

2017年5月24日

石田によれば、記号学と脳科学の接点を考えるうえで避けて通れないのがフロイトである。彼は『失語症解明へ向けて』(1891年)のなかで、脳の部位と聴覚や発語などの言語機能を対応させる言語局在説に基づく「言語装置」論を批判し、言語装置は脳の複数部位が連合することで仮想的な装置として機能していることを主張した。次いで、『夢解釈』(1899年)では、心理学的観点から人間の「心の装置」を光学装置のメタファーでとらえ、像の焦点となる場所がレンズの組み合わせや構造から機能的にのみ存在するように、心的局在性も実体的にあるわけではないと説き、知覚末端から無意識、前意識、意識・運動末端へと至る第1局所論のモデルを描いた。

次に石田は、『自我とエス』(1923年)という論文でフロイトが大脳皮質図のうえに自我、エス、超自我からなる第2局所論を図示したことについて、オーソドックスなフロイト理解とは異なり、第1局所論と第2局所論の脳神経科学的な連続性を読み解く。聴覚知覚を通じて文化的・歴史的に蓄積された禁止や掟の言葉が超自我の材料となって、無意識的エスと結びついて、自我の一部に内在化されると解釈することで、第1局所論は個人の心的装置であったものが、第2局所論では集団の心が視野に入ってくるというフロイトの現代的な読み直しが語られる。

第3講義「書き込みの体制2000」

2017年11月24日

第1のテーマ「情動と身体」では、IT化したコミュニケーション状況において、石田はポルトガルの脳科学者アントニオ・ダマシオによる「ダマシオの樹」(2003年)をフロイトの「心の装置」モデルと並べ、心/感情/自我と身体/情動/エスの関係、心身平行論などの類似点を挙げる。スピノザの『エチカ』の定理のなかにそれらの原型、すなわち観念の表出や身体の感応などの概念を見出すことによって、個人としての心身の関係を集団としての心身の関係に重ねる道筋は見事である。

第2のテーマ「記号と論理」では、パースの記号論に基づき、フランスのコミュニケーション学者ダニエル・ブーニューがメディア・コミュニケーションを理解するための「記号の正ピラミッド」の図(2001年)を提案するのに対し、石田は人間の感覚経験や行動パターンの情報処理を行うメディア・テクノロジーのプロセスを「記号の逆ピラミッド」として図式化する。この二つのピラミッドを基底で接地させた「記号の正逆ピラミッド」の図は、メ

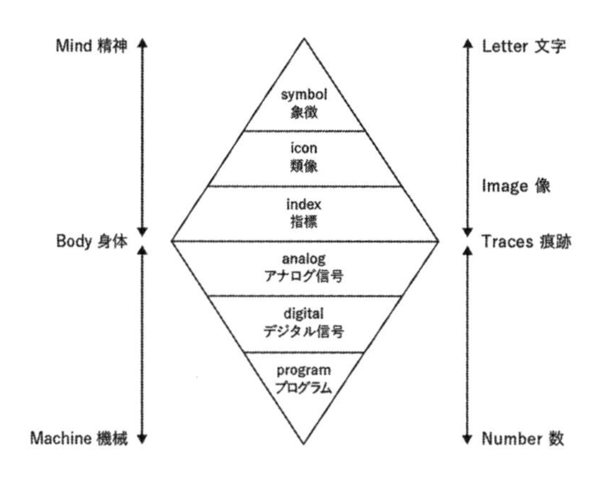


記号の正逆ピラミッド（同書232頁より引用）

ディア・コミュニケーションにおける人間の記号過程と機械の情報処理の界面を概念化した見取り図として、本書の真髄をなしている。

第3のテーマ「模倣と感染」では、19世紀後半に活躍したフランスの社会学者ガブリエル・タルドが、社会を「模倣」という斬新な原理で説明しようとしたことを紹介したうえで、石田は、いま世界で起こっていることは身体レベルの情動のコミュニケーションでの感染現象であるから、蓄積した情報を独占するプラットフォーマー側だけでなく、ユーザー側もこの原理を正確に理解すべきと警鐘を鳴らす。

最後に石田は、すべてがデータとなり、すべてがネットワークにつながるときには、社会が模倣と感染現象に満ちることになり、それが気づかないうちに社会を変容させ、政治も動かすようになる危険を懸念し、だからこそ、ヒトにとって意味や意識はどこから立ち上がり、なにが論理や理性を基礎づけるのか、人文学や哲学はそういう最も根本的な問いを扱う学問領域のはずであり、「記号学の更新はその一翼を担える」と信頼を込めて締めくくっている。

2020年の世界を見舞った新型コロナによる隔離状況が国境を越えるフィールドワークの重要性を再認識させる一方で、片や欧州で頻発するイスラム過激派によるテロ事件、片やアメリカ合衆国全土を真っ二つに分断した大統領選挙を目の当たりにして、社会統合をめざす間文化主義をめぐる議論と、21世紀のメディア・コミュニケーション理論と結びついた記号論更新の議論は、どちらもますますその有効性を増しているように思われる。石田の提起した学問の根拠づけの問題が、異なる学問領域間のインターフェースを本分とする国際文化学に対して、そこに連なる研究者一人一人にいま再び問われているのではないだろうか。私自身、文化交流創成コーディネーター資格制度を推進し、諸外国における「インターカルチュラル」概念へのアプローチをテーマとしたフォーラムを企画するなかで、国際文化学の使命と役割を振り返ったことが記憶に新しいが、これらの問題意識が研究の通奏低音として響いていることを、3冊の本が改めて思い起こさせてくれる。

*INTERCULTURAL 19*
ANNUAL REVIEW OF THE JAPAN SOCIETY FOR INTERCULTURAL STUDIES

**SPECIAL ISSUE**
**The 20th Anniversary Special Feature of the Japan Society for Intercultural Studies: The Voices of Hirano Kenichiro Prize Laureates**

**Part 1 What They Think Now**
Toru INAKI, Atsuko SHIGIHARA, Guihua ZHAO, Chikako YAMAWAKI, Akihiro TSUCHIYA, Yoko KAWAMURA, Mutsuko TSUBOI, Yumiko YAMATO, Tadashi SAITO, Shihomi MEGURO, Azusa TAKAHASHI, Taeko KIRIYA

**Part 2 Online Symposium "What Intercultural Studies means to Me"**
Toru INAKI, Atsuko SHIGIHARA, Guihua ZHAO, Akihiro TSUCHIYA, Yoko KAWAMURA, Yumiko YAMATO, Shihomi MEGURO, Azusa TAKAHASHI, Taeko KIRIYA, Fumio KOBAYASHI (Moderator)

**Articles**
Atsushi SUGANO
The Lost 1940 "Tokyo Olympic Games" and Different Views of Olympism: Focusing on Cheng-ting Wang and Avery Brundage

Yoshimi NISHI
Conceptualizing familyism in Post-Suharto Indonesian Films

**Book Review**
Hiroko INOUE

**Book Guide for Intercultural Studies**
Mariko OKA-FUKUROI
Some Suggestions for Intercultural Studies 2020

## ABSTRACT

## The Lost 1940 "Tokyo Olympic Games" and Different Views of Olympism: Focusing on Cheng-ting Wang and Avery Brundage

Atsushi SUGANO

This paper examines the different perspectives and claims by the IOC members of Japan, the Republic of China and the United States over the boycott movement of the lost 1940 Tokyo Olympic Games, especially focusing on the different views of Olympism between the latter two.

Due to the outbreak of the Sino-Japanese War in 1937, the Chinese diplomat and IOC member Cheng-ting Wang strongly opposed Japan's hosting of the 1940 Tokyo Games because he claimed that the Japanese invasion of China was violating Olympism—the spirit and ideal of the Olympics as promoting world peace. On the other hand, US IOC member Avery Brundage, who later became the first and only American IOC president after World War II, was clearly against Wang's protest. Based on the same logic by which he prevented the 1936 Berlin Games from boycott, Brundage was consistent in defending the Tokyo Games; on the grounds of his interpretation of Olympism, which was passed down from Pierre de Coubertin, the founder of the modern Olympics, the Olympic Games should be politically neutral and free from any interference from outside powers. To them, the Olympic Games were thought to create a "fictitious sovereign arena" called "Olympia" within the host country.

Although the Tokyo Games were eventually given up by the Japanese government in 1938, it was precisely this extraterritorial "Olympia" which enables the IOC to take full control and bring about a temporary "ceasefire", where participating athletes are able to promote actual peace and friendship through the competition and mutual exchange.

## ABSTRACT

### Conceptualizing familyism in Post-Suharto Indonesian Films

Yoshimi NISHI

This article attempts to situate and understand the empirical nature of familyism in Indonesian society by examining the portrayal of family in post-authoritarian films. The idea of familyism—viewing the nation as a family—as a social norm was adopted in Indonesia under Suharto's regime to promote national unity. Accordingly, the youth of the country were expected to not threaten the social order created by their parents. As a result, Indonesian films ceased to depict conflicts between parents and children, did not contain clear endings, and portrayed stories of youth falling in love but not marrying—to maintain the illusion of them not growing up. However, post-Suharto Indonesian films began to depict the transition of youth into adults. For example, *Kuldesak* (1998) explicitly depicted how familyism, promoted under Suharto's regime, prevented the county's youth from growing up and led the society into a cul-de-sac. *What's Up with Love?* (2002) depicted the youth's hope to grow up, and their inability to start a family because of their father. In *The Seventh House* (2003), being independent from the constraints of their parents, the youths are depicted as succeeding in creating a family.

## 編集後記

▶本学会の編集委員の担当を続けておりますが、「苦労話」はさておき、いつも感動があります。査読をお引き受けくださった方から毎度、見事な査読結果が戻ってきます。本学会の質の高さの現れでしょう、真摯に責任感溢れる読込みと問題点のご指摘には驚くばかりです。私自身の管見もありますが、自分に近い分野の研究でもこの指摘は絶対に真似できないと感じることが多いのです。ご多忙の中、本学会の研究力向上にお力を貸してくださっている査読者の方々には改めて感謝し、御礼を申し上げたいです。(大形利之)

▶パンデミックの状況下にもかかわらず、玉稿をお寄せいただいた執筆者の皆様、ならびに論文査読をはじめ本号編集にご協力いただいた方々に心より御礼申し上げます。新型コロナウイルスの世界的拡大の背景には、グローバルな人の移動に伴う地球環境・生態系の変化があり、ワクチンの開発で解決される問題ではないでしょう。我々現代人は国境を越えて移動し過ぎているのかもしれません。自然環境との関係から「適切な」人の国際移動の規模や方法について考える時期に来ているように思います。(斎川貴嗣)

▶『インターカルチュラル』第19号が完成しました。新型コロナウイルス感染症の拡大という予期せぬ事態の中でも研究活動を継続し、論考を投稿された皆さんと査読を快く引き受けて下さった先生方の協力を得て刊行された今号は、学会の歩みの中でもひときわ意義深い一冊となりました。改めて感謝いたします。そして、記念すべき第20号は今夏が締切です。研究・教育活動の先行きが不透明な状況ではあるものの、会員の皆様のご投稿をお待ち申し上げるとともに、より一層誌面の充実を図りたく思います。(鈴村裕輔)

▶10年前に宮城県石巻地域で被災し、関東の大学に進学したある大学生が最近こんなことを言っていました。「私は震災に備えて防災セットを準備しているけど、そういう意識をもつ学生が周りにあまりいない。だから、震災を経験した自分がみんなにきちんと防災について伝えていきたい」と。負の記憶を生きる力に変えようとする若者の姿に感銘を受けました。国際文化学もまた、震災が残したものを引き継ぎつつ発展していくことを祈ってやみません。(目黒志帆美)

▶感染症拡大の影響で、全国大会を対面で開催できないという未曾有の事態となり、恒例のシンポジウムもフォーラムもなくなりました。その代わりに、今号は日本国際文化学会設立20周年記念特集として「平野健一郎賞受賞者に聞く」を企画しました。本学会の活動の歩みの一端を象徴するものとなったと思います。各人の国際文化学への熱い思いを、第一部の論考集と第二部の座談会記録に読み取っていただけたなら幸いです。本号の編集後記は編集委員全員が執筆するという形にしました。素晴らしいチームだったことに静かな感動を覚えています。(小林文生)

## 日本国際文化学会2020年度事業報告

2020年4月11日（土）　第83回常任理事会（遠隔会議）
2020年4月18日（土）　自由論題採択通知／「書面開催」方式の通知／「書面開催」方式希望調査開始
2020年4月30日（木）　第10回平野健一郎賞応募締切
2020年5月9日（土）　「書面開催」エントリー締切
2020年5月31日（日）　第1回文化交流創成コーディネーター資格認定審査委員会（遠隔会議）
2020年6月8日（月）　ニューズレター第45号発行（電子版）
2020年7月11日（土）　第19回理事会（遠隔会議）
2020年7月11日（土）「書面開催」ペーパー提出期限
2020年7月25日（土）「書面開催」討論者　質問・コメント提出期限
2020年8月1日（土）　「書面開催」会員　質問・コメント提出期限
2020年8月20日（木）『インターカルチュラル第19号』投稿論文応募締切
2020年9月1日（火）　「書面開催」代表者・報告者　質問・コメント回答期限
2020年10月1日（木）　ニューズレター第46号発行（印刷版）
2020年10月10日（土）第84回常任理事会（遠隔会議）
2020年12月31日（木）第20回全国大会共通論題応募締切
2021年1月9日（土）　第85回常任理事会（遠隔会議）
2021月1月31日（日）　文化交流創成コーディネーター教育プログラム2021参加大学申請締切
2021年2月1日（月）　ニューズレター第47号発行
（電子版：第20回全国大会呼びかけ、第11回平野健一郎賞募集開始）
2021月2月13日（土）　第7回文化交流創成コーディネーター教育プログラム2020参加認定委員会（遠隔会議）
2021年3月20日（土）　第20回全国大会自由論題応募締切
2021年3月31日（水）　文化交流創成コーディネーター2020資格認定申請締切

【見合わせ】
2020年7月10日～12日　エクスカージョン／第19回全国大会（近畿大学）／総会
2020年8月23日～29日　文化交流創成コーディネーター短期集中セミナー2020（龍谷大学）
2020年10月～11月　2020第2回文化交流創成コーディネーター資格認定審査委員会

参考：2021年4月10日（土）第86回常任理事会（近畿大学）

## 日本国際文化学会第19回全国大会（書面開催）プログラム

□共通論題①「国際文化学の教育方法としてのスタディツアー――「知識」から「現実感を伴った知性」への転換のために」

代表：坂口可奈（北海商科大学商学部講師）

コメンテーター：井出晃憲（稚内北星学園大学情報メディア学部情報メディア学科准教授）

①坂口可奈（北海商科大学商学部講師）

「スタディツアーの定義とフレームワーク」

②藤田賀久（多摩大学グローバルスタディーズ学部非常勤講師）

「スタディツアーの意義と可能性――何をテーマに設定するか」

③鄭　文琪（多摩大学グローバルスタディーズ学部国際交流課主任）

「大学が持つスタディツアーの可能性――地域の国際交流の拠点化に向けた挑戦」

④谷口天祥（藤沢翔陵高等学校教諭）

「高等学校におけるスタディツアーの実践例――生徒に何を考えさせるか、生徒は何を感じたか」

□共通論題②「東南アジアの映画は家族をどう描いてきたか」

代表：山本博之（京都大学准教授）

コメンテーター：青木恵理子（龍谷大学）

①山本博之（京都大学准教授）

「フィリピン映画に描かれる家族のかたち」

②西　芳実（京都大学准教授）

「映画が映すインドネシアの家族像」

③平松秀樹（京都大学連携准教授）

「タイ映画に見る子と親の関係」

□自由論題A「コミュニケーションのなかの文化」

司会：岩野雅子（山口県立大学国際文化学部教授）

①相原征代（北陸大学非常勤講師）　デニス・ハーモン（北陸大学講師）

「Japan's sontaku culture as a prism of other-oriented self among Japanese university students – a critical examination of Japanese cultural and Internet society」

討論者：エイミー・ウィルソン（山口県立大学国際文化学部教授）

②増渕佑亮（東北大学国際文化研究科博士後期課程）

「言語表現の理解に関わる文化の知識に関する考察」

討論者：黒沢宏和（近畿大学法学部教授）

□自由論題Ｂ「ナショナルな記憶と表象」

司会：川村陶子（成蹊大学文学部国際文化学科教授）

①稲木　徹（安徽大学外国語学部外籍教師）

「「表現の不自由展・その後」における天皇をめぐる表現と文化間対話」

討論者：中村美帆（静岡文化芸術大学文化政策学部准教授）

②阿部　碧（一橋大学大学院博士後期課程）

「戦争証跡博物館から探る「アメリカ市民」による焼身行為の記憶のされ方」

討論者：岡田建志（静岡文化芸術大学文化政策学部教授）

□自由論題Ｃ「近代中国の宗教と文学にみる日本」

司会：菅野敦志（名桜大学国際学群上級准教授）

①韋　傑（龍谷大学国際文化学研究博士後期課程）

「民国期における密教復興運動について」

討論者：鈴木隆泰（山口県立大学国際文化学部教授）

②曽　小蘭（東北大学大学院国際文化研究科博士後期課程）

「私小説におけるプロレタリア文学の位相――郭沫若と郁達夫との比較を中心に」

討論者：齊藤泰治（早稲田大学政治経済学術院教授）

□自由論題Ｄ「イスラーム社会とマイノリティ」

司会：小川　忠（跡見学園女子大学文学部人文学科教授）

①市岡　卓（法政大学大学院国際文化研究科兼任講師）

「シンガポールにおけるイスラームからの棄教者の社会的包摂をめぐる課題について」

討論者：坂口可奈（北海商科大学商学部講師）

②松井真之介（神戸大学国際文化学研究科国際文化学研究推進センター協力研究員）

「ヒズメット運動による学校建設の役割と現状――ヨーロッパ諸国を例に」

討論者：加藤恵美（帝京大学外国語学部講師）

□自由論題Ｅ「帝国・戦争・越境と東アジア」

司会：飯森明子（早稲田大学アジア太平洋研究センター特別センター員）

①井出晃憲（稚内北星学園大学情報メディア学部情報メディア学科准教授）

「雑誌『旅』から見る日本統治時代の樺太における観光――オタスの杜の先住民観光を中心に」

討論者：藤田賀久（多摩大学グローバルスタディーズ学部非常勤講師）

②菅野敦志（名桜大学国際学群上級准教授）

「1940年〈東京オリンピック〉返上をめぐる日中米関係」

討論者：鈴村裕輔（名城大学外国語学部准教授）
③藤田賀久（多摩大学グローバルスタディーズ学部非常勤講師）
「台湾撤退後の大陳島民――その軌跡とアイデンティティ」
討論者：菅野敦志（名桜大学国際学群上級准教授）

## 日本国際文化学会第20回全国大会開催予告

開催日時：2021年7月10日（土）～11日（日）
開催大学：近畿大学法学部（東大阪キャンパス）

日本国際文化学会第20回全国大会実行委員会（実行委員長　高橋梓）
連絡先メールアドレス：intercultural_2021@jus.kindai.ac.jp
連絡先住所：〒577-0813 東大阪市新上小阪228-3　Eキャンパス C館5J
近畿大学法学部　高橋梓研究室気付

大会会場への交通アクセス

［JR新大阪駅］→（JRおおさか東線）→（JR・近鉄俊徳道駅）→［近鉄長瀬］→（徒歩）※約50分

［JR大阪駅］→（JR大阪環状線）→［JR・近鉄・鶴橋駅］→（近鉄大阪線）→［近鉄長瀬］→（徒歩）※約35分

［大阪伊丹空港］→（リムジンバス）→［近鉄大阪上本町駅］→（近鉄大阪線）→［近鉄長瀬］→（徒歩）※約60分

### 大会テーマ
### 個別主義の壁、普遍主義の壁――2020年代を切り開く〈ことば〉[1)]

【開催趣旨】

「国際文化」という熟語は異なる方向に向かう二つの力学を内包する。すなわち「国際」の表す「普遍化」と、「文化」の表す「個別化」である[2)]。この二つのベクトルは、世界における様々な対立の要因となったものでもある。地理的・歴史的特殊性に起因する個別文化を内包する近代国家が、グローバリズムの蔓延により普遍化される様子を我々は目の当たりにしてきた。グローバリズムとナショナリズムの統合は容易に成されず、加速度的な文化接触はしばしば敵対的文化触変を惹起することとなる[3)]。

2010年代を通過した我々は、「自国第一主義」が台頭し、右派ポピュリズムが勢いを強める時代の証人となった。他方で排他的な態度を批判するはずの言説や抗議運動が暴力や抑圧と結びつくことで、激しい対立へと発展する例も数多く目にしてきた。グローバリズムに共鳴するかのように、距離的な制約を超えることが可能なインターネットが著しく発展したが、開かれた言語空間の実現は容易ではなく、ウェブ上では様々な分断が横行している。そして2020年の幕開けと共に到来したCOVID-19の混乱により、国家や自治体が閉ざされる中で、我々は改めて国際社会における他者との交流のあり方を問い直されている[4)]。

日本国際文化学会が創設された2001年以降、グローバリズムへと向かう普遍主義と、ナショナリズムへと向かう個別主義は、世界の至る所で数多の対立をもたらした。個々の対立のあいだに聳え立つ超越しがたい「壁」を前にして、「国際」と「文化」の二方向の力学を捉え、議論を始めることこそが本大会のテーマである。そしてこの試みは、我々を〈ことば〉の問題へと立ち返らせる。壁を挟んで対立する「他者」といかに〈ことば〉を交わすべきか。〈ことば〉を介し、他者と共同・協働を志すことがコミュニケーションであるならば[5]、我々は今の時代を切り開く〈ことば〉を探り、壁を乗り越える道を見出すべきではないか。

むろん、個別主義と普遍主義の対立は、近現代に限定された問題ではない。文化が本来的に個別性と普遍性を備えている以上[6]、二つ以上の文化は不可避的に境界を越えて受容と抵抗を繰り返す。そして国際文化学は文化と文化のあいだで生じたこれまでの様々な現象を考察対象とするものである。従って我々は本学会の研究の蓄積を踏まえ、今改めて過去から現在に至るまでの様々な文化のあいだに目を向け、文化触変の当事者となる人々がいかなる〈ことば〉を紡いできたかを丹念に検討していかねばならない。第20回全国大会での議論を通じ、2020年代を迎える国際文化学の可能性と課題を再検討できれば幸いである。

【エクスカーション】

7月9日（金）に橿原市・明日香村エクスカーションを実施予定。古代文化と世界の繋がりを考察することで、「壁」を巡る議論の一助としたい。

**[注]**

1）本大会は、書面開催となり実現できなかった2020年度第19回全国大会の大会テーマを引き継いで開催される

2）木原誠・相野毅・吉岡剛彦、『歴史と虚構のなかの〈ヨーロッパ〉――国際文化学のドラマツルギー』、昭和堂、2007年、pp. 8-9。

3）平野健一郎、『国際文化論』、東京大学出版会、2000年、p. 127。

4）COVID-19以降の国際社会の課題を多角的に論じたものとして、たとえば大野知基編『コロナ後の世界』（文春社、2020年）が挙げられる。

5）池田理知子・塙幸枝編『グローバル社会における異文化コミュニケーション――身近な「異」から考える』、三修社、2019年、p. 40。

6）平野、前掲書、pp. 8-9。

## 第10回平野健一郎賞受賞者

受賞者

氏名：桐谷多恵子
　　　長崎大学核兵器廃絶研究センター客員研究員
受賞論文：「浦上の「受難」と「復興」における文化の存続――キリスト教修道士・岩永富一郎の活動を中心に」（日本国際文化学会年報『インターカルチュラル』第18号所収）
受賞理由：本論文は、これまで広く知られてこなかった「ヨゼフ様」こと修道士の岩永富一郎に焦点を当て、長崎市浦上地区におけるキリスト教の文化が戦中から1950年代にかけて果たした役割と意義を検討するものである。その背景として、長崎の被爆と復興に関して、従来の研究で指摘されてきた「浦上燔祭説」を再検証するとともに、従来の研究では見逃されがちだった「長崎の二重構造」を具体的に詳らかにして、これまで二義的な位置付けをされてきた浦上に焦点を当て、特に浦上における「キリスト教文化」の存続の歴史を描き出す。具体的には、戦中から戦後に至るまで一貫して「浦上の復興」に尽力した岩永富一郎修道士の人物と活動を、刊行物だけでなく未公開資料や関係者への聞き取り調査等に基づいて丁寧に描いており、その論述は、緻密な記録資料としても貴重な成果を挙げている。

特に、比較的現代に近い時代にもかかわらず、戦争をはさみ、長崎の原爆被災によって実証史料が少なく、文字資料調査は困難が多い状況で、岩永修道士を知る人びとが高齢化する中、いわば最後のチャンスをつかみ、関係者に誠実に向き合って事実を明らかにしたことは、歴史研究や平和研究の分野でも大きな貢献である。また、隣接する浦上と市街地長崎との社会階層の差や、発信者の地位の差、すなわち同じ地域内でもエリート医師永井隆の発信力との差も浮き彫りにし、比較社会論ともなっていることも評価できる。

さらに、「エリート」の言説には現れない庶民の復興活動に光を当てて、長崎の「複数性」を浮き彫りにするという手法は、国際文化学のあり方にも興味深い視点を提供しており、また、「動く主体である個人が文化に及ぼす影響を考察する」ことが国際文化学の今日的課題であるという指摘は、当学会の今後の研究活動を考える上でたいへん示唆に富んでいる。この視点から、本論文の中心となっている「文化」の概念が、論者の視点に沿ってさらに深められていくことが期待される。

以上により本論文は研究論文としての先進性と独創性ならびに国際文化学への貢献度の高さにおいて受賞論文にふさわしいものと結論した。

## 全国大会発表要項について

2020年10月10日改訂

１．共通論題について

（１）共通論題は企画された特定のテーマに関して2～4名程度のパネリストもしくは報告者による報告と対話で構成するものです。時間は原則2時間です。原則として2時間の使い方は自由ですが、最後に討論の時間を十分取るよう配慮してください。

（２）発表言語及び応募書類は原則として日本語とします。なお、報告の一部が英語でなされるケースも認めます。英語による報告の場合は、その旨を記載してください。英語の場合、通訳等の準備は必要ありません。

（３）前回までの全国大会と同一あるいは同様テーマで発表する場合は、既発表の内容との違いを明確にした上でご応募ください。同一あるいは同様のテーマが連続する場合や他学会で既発表の報告については、常任理事会で協議します。

（４）同一の人物が複数の共通論題に登壇することはできません。

（５）応募は、Ａ４で横書き一枚の企画書（ワード版：本文の文字ポイント10.5、40字 ×30行の書式で作成。共通論題テーマ、司会者名と所属・職階あるいは肩書、報告者名と所属・職階あるいは肩書・報告タイトル、時間配分を記載。企画案の最後に申込み代表者の氏名・現職・連絡先電話・メールを記載）を、前年度12月末日（必着）までに大会実行委員会事務局宛てにメールに添付し提出するものとします。

（６）企画書の受領の連絡が申込みより2週間程度たってもない場合は、大会実行委員会事務局宛てにお問い合わせください。また、企画書の内容について、大会実行委員会事務局から連絡をすることがあります。

（７）申込み代表者（および司会者）は、応募時の年度会費を納入している学会会員に限りますが、報告者のなかに学会会員以外（ただし、大会参加費納入のこと）を含めることができます。申込み代表者（および司会者）が学会会員でない場合は、申込み時までに学会事務局宛てに会員登録および年度会費の納入を行うことにより応募資格を得ることとします。

（８）全国大会は2日間にわたって開催されます。発表日時は原則として選ぶことはできません。共通論題発表の採択を受けた場合、発表を取りやめることはできませんので、承知の上で応募してください。

（９）共通論題発表の採択通知は、翌年1月末までに行います。採択通知を受けた場合、3月末日までに企画書の最終案（発表概要）を大会実行委員会事務局に提出してください。発表概要は大会要旨集に掲載します。Ａ４で横書き一枚（ワード版：本文の文字ポイント10.5、40字 ×30行の書式で作成。共通論題テーマ、司会者名と所属、報告者名・所属・報告タイトル、時間配分を記載）。なお、申込み時に記載した連絡用の情報（企画案の最後に申込み代表者の氏名・現職・連絡先電話・メールを記載）については削除してください。また、何らかの事情で報告者の一部を変更せざるをえない場合は、大会実行委員会事務局に事前相談をしてください。発表概要はいただいたままの状態で掲載しますので、間違い等のないようご注意ください。

(10) 期日までに上記（9）の提出がない場合、大会要旨集には申込み時の企画書を掲載しますので、ご了承ください。

(11) 発表の配付資料については、大会実行委員会事務局からの案内に従って、各自でコピーをご持参ください。発表時の機器についても、大会実行委員会事務局からの案内に従ってください。

２．自由論題について

（1）発表できる演題数は一人1演題に限ります。ただし、共通論題と自由論題で2演題になることは構いません。

（2）自由論題は原則として個人研究発表ですが、内容により複数の発表者による発表も可とします。いずれも発表時間は質疑応答も含めて30分とします。質疑応答の時間が十分とれるよう、発表時間を20分以内とします。

（3）発表言語及び応募書類は原則として日本語あるいは英語とします。なお、それ以外の言語で発表する場合は、発表時間内で日本語通訳を用意してください。

（4）他学会で既発表の報告については発表することはできません。

（5）応募は、Ａ４で横書き一枚の発表要旨（ワード版：本文の文字ポイント10.5、40字 ×30行の書式で作成。発表タイトル、氏名・現職（大学教職員・有識者・企業や団体・研究所等の場合は所属と職階あるいは肩書、大学院生・学生の場合は在籍課程などを明記）、キーワード（3～5語）、要旨本文（40字 ×25行以内）、連絡のため、最後に連絡先電話とメールアドレスを記載）を、大会開催前年度の3月20日（必着）までに大会実行委員会事務局宛てにメールに添付し提出するものとします。

（6）応募書類の受領の連絡が申込みより2週間程度たってもない場合は、大会実行委員会事務局宛てにお問い合わせください。また、発表の内容について、大会実行委員会事務局から連絡をすることがあります。

（7）応募は日本国際文化学会の会員で、応募時の年度会費を納入している者に限ります。複数の発表者による応募の場合も、発表者全員が応募時の年度会費を納入している必要があります。ただし、応募時に学会会員でない場合は、申込みと同時に学会事務局宛てに会員登録および年度会費の納入を行うことにより応募資格を得るものとします。

（8）全国大会は2日間にわたって開催されます。発表日時は原則として選ぶことはできません。自由論題発表の採択を受けた場合、発表を取りやめることはできませんので、承知の上で応募してください。

（9）自由論題発表の採択通知は4月20日までに行います。採択通知後、発表要旨に修正がある場合は、指定された期日までに再提出してください。再提出の場合、応募時に記載した連絡用の情報（連絡先電話とメールアドレス）は削除してください。指定された期日までに提出がなされない場合、また修正等がない旨の連絡を受けた場合は、上記の連絡先情報を削除した上で、申込み時の書類のままで大会要旨集に掲載します。いずれの場合も、大会要旨集に掲載されることを踏まえて、間違い等のないようご注意ください。

(10) 発表の配付資料については、大会実行委員会事務局からの案内に従って、各自でコピーをご持参ください。発表時の機器についても、大会実行委員会事務局からの案内に従ってください。

### 3．研究倫理について

共通論題及び自由論題で発表する研究については、各大学の研究倫理規定等をふまえて応募してください。

## 〈2020-2021年度 役員及び各種委員一覧〉

（所属等は2020年4月1日現在）

＜幹事＞

（2019年4月1日～2021年3月31日）

事務局長：安田 震一（多摩大学グローバルスタディーズ学部教授）（常任理事兼務）

事務局：

竹内 一真（多摩大学グローバルスタディーズ学部准教授）

藤田 賀久（多摩大学グローバルスタディーズ学部非常勤講師）

（2021年4月1日～）

事務局長：松居 竜五（龍谷大学国際学部教授）（常任理事兼務）（予定）

事務局：高橋 梓（近畿大学法学部准教授）（予定）

＜学会事務局＞

（2021年4月1日～2023年3月31日）

〒612-8577

京都市伏見区深草塚本町67

龍谷大学国際学部 松居研究室

電話：075-366-2223（研究室直通）

メール：jsics@world.ryukoku.ac.jp

＜学会年報『インターカルチュラル』編集委員（内2名は常任理事）＞

（就任順・アイウエオ順）

編集委員長：小林 文生（東北大学名誉教授）2018年8月1日～2021年7月末日

齋川 貴嗣（高崎経済大学）2018年8月1日～2021年7月末日

大形 利之（東海大学）2019年8月1日～2022年7月末日

鈴村 裕輔（名城大学）2019年8月1日～2022年7月末日

目黒 志帆美（石巻専修大学）2020年8月1日～2022年7月末日

＜編集委員会より委嘱＞

英文校閲：ウィルソン・エイミー（山口県立大学）2019年8月1日～2022年7月末日

＜平野健一郎賞選考委員（編集委員長及び内1名は編集委員）＞

（就任順・アイウエオ順）

選考委員会委員長：小林 文生（東北大学名誉教授）2018年8月1日～2021年7月末日

鈴村 裕輔（名城大学）2018年8月1日～2021年7月末日

川村 陶子（成蹊大学）2019年8月1日～2022年7月末日

飯森 明子（早稲田大学）2019年8月1日～2022年7月末日

斉藤 理（山口県立大学）2019年8月1日～2022年7月末日

＜文化交流創成コーディネーター資格認定制度「教育プログラム参加認定委員会」＞

（アイウエオ順）

（2019年8月1日～2022年7月末日）

委員長：倉 真一（宮崎公立大学）

高橋 良輔（青山学院大学）

湯浅 章子（甲南女子大学）

渡辺 愛子（早稲田大学）

＜文化交流創成コーディネーター資格認定制度「資格審査委員会」＞

（アイウエオ順）

（2019年8月1日～2022年7月末日）

委員長：岩野 雅子（山口県立大学）

飯笹 佐代子（青山学院大学）

岡田 建志（静岡文化芸術大学）

大和 裕美子（九州共立大学）

山脇 千賀子（文教大学）

**＜文化交流創成コーディネーター資格認定制度「運営事務局」＞**

（2019年8月1日～2022年7月末日）
事務局長：松居 竜五（龍谷大学）

**＜大学院生研究交流会ワーキンググループ＞**

事務局：松居 竜五（龍谷大学）

# 日本国際文化学会規約

2001年11月10日制定

**名称**

第一条　本会は、日本国際文化学会と称する。英語名はThe Japan Society for Intercultural Studiesとする。

**事務局**

第二条　本会の事務局は、会長が指定する場所に置く。

**目的**

第三条　本会は国際文化学の振興と普及を、研究と教育の両面において進めることを目的とする。

**事業**

第四条　本会は次の事業を行う。

(1) 原則年一回の全国大会の開催

(2) 講演会・分科会などの開催

(3) 学会誌・ニューズレター・出版物の刊行

**会員**

第五条　本会は、次の会員をもって組織する。資格・会費などに関しては細則を設ける。

(1) 正会員　　本会の目的に賛同する個人

(2) 賛助会員　本会の目的に賛同する個人・機関・団体など

**入退会**

第六条　会員になろうとする者は、所定の書類に会費を添えて、事務局まで申し込むこと。

第七条　会員は次の理由により資格を失う。

(1) 本人が書面によって退会を申し出たとき

(2) 会費の滞納により理事会が退会を適当と認めたとき

(3) 本会の名誉を傷つけ、また本会の目的に反する行為をしたことにより、理事会が退会を相当と決定したとき

**会費**

第八条　会員は、所定の会費を納入しなければならない。納入した会費は理由を問わず返還しない。

**役員**

第九条　本会に次の役員を置く。会長一名、副会長二名、常任理事十二名（正副会長を含む）、理事三〇名、監査役二名。

2　役員の任期は二年とし、再任は妨げない。

3　学会運営の必要上、常任理事若干名を追加することができる。

4　学会運営の必要上、幹事若干名を置くことができる。任期は理事に準ずる。

5　顧問若干名を置くことができる。

**役員の選出**

第十条　会長・副会長・常任理事は理事会において互選により選出し、会員総会の承認を得る。監査役、幹事は、理事会が決め、会長が委嘱する。

2　会長は本会を代表してその会務を総括し、理事会及び常任理事会の議長を務める。

3　副会長は会長を補佐し、会長の不在あるいは事故ある時にその職務を代行する。

4　常任理事は会長、副会長とともに常任理事会を構成し、日常の会務を執行する。

5　理事は理事会を構成し、本会の組織運営、会員総会に提出する議題、定款の改廃などに関わる事項の審議を行う。

6　幹事は、会務の執行につき、理事に協力する。

7　顧問は、本会に特別な功労があった者で、理事会の推挙を経て、会長が委嘱する。顧問は、常任理事会、理事会に出席し、意見を述べることができる。

**理事の選出**

第十一条　理事の選出は正会員による選挙を主とする。選出手続き並びに選挙規定等は別に定める。

**会員総会**

第十二条 本会に正会員によって構成される会員総会を置く。

2　会員総会は次の事項の議案の審議を行う。

(1) 事業計画及び事業報告に関すること

(2) 予算、決算に関すること

(3) 役員の選出に関すること

(4) 定款の変更等に関すること

3　会員総会は通常毎年1回開催し、臨時総会は理事会が必要と認めたとき、または会員の半数以上の要請があった場合に、会長が召集する。

4　会員総会の議決には、出席会員の過半数を必要とする。

分科会
第十三条　本会は、その目的達成のため、理事会の議決を経て分科会を設ける。分科会の運営に関しては別に定める。
支部会
第十四条　本会に支部会を置くことができる。支部会の運営に関しては別に定める。
会計
第十五条　本会の経費は、会費、寄付金、その他の収入をもって充てる。
2　本会の会計年度は、毎年四月一日から翌年三月三十一日とする。
3　本会の会計処理は、常任理事会が責任を持ち、会計担当理事がこれに当たる。会計担当理事は、監査役の会計監査を受けなければならない。
4　監査役は、会員総会に会計監査報告を行い、承認を受けなければならない。
定款の改正
第十六条　この定款を改正するときは、理事会での審議を経て、会員総会の承認を得なければならない。
細則
第一条　本会の会費を次のように定める。
(1)　正会員：一万円　ただし、大学院に所属する学生については、五千円とする。
ただし、学部に所属する学生については、二千円とする。この場合、学会誌については別途購入するものとする。
(2)　賛助会員：一口一万円。

附則
1. この規約は、日本国際文化学会設立年月日(2001年11月10日)より施行する。
2. 2006年7月15日、第九条、第十条改正。改正後の規約は2006年4月1日から施行する。
3. 2008年7月13日、第九条改正。改正後の規約は2008年7月13日から施行する。
4. 2015年7月5日、細則第一条(2)改正。改正後の規約は2015年7月5日から施行する。
5. 2017年4月1日、第二条改正、附則改正。改正後の規約は2017年4月1日から施行する。
6. 本学会事務局を、京都市伏見区、龍谷大学国際学部に置く(2021年4月1日より2023年3月末日まで)。

## 『インターカルチュラル：日本国際文化学会年報』編集要項

2012年7月8日改訂

### 第1章　総　　則

（目　的）

第1条　日本国際文化学会（以下「本学会」という。）は、国際文化学研究を促進することを目的として、学会誌を刊行する。

（名　称）

第2条　本学会が刊行する学会誌は『インターカルチュラル：日本国際文化学会年報』とし、その英文名は、Intercultural: Annual Review of the Japan Society for Intercultural Studies とする。

（刊行事務）

第3条 『インターカルチュラル：日本国際文化学会年報』の編集及び刊行事務は、『インターカルチュラル：日本国際文化学会年報』編集委員会（以下「編集委員会」という。）がこれを行う。

（事務所）

第4条　編集委員会の事務所は、日本国際文化学会常任理事会が指定する大学内に置く。

（特集）

第5条 『インターカルチュラル：日本国際文化学会年報』に、本学会の活動に関連するテーマの特集を掲載することが出来る。特集の編集、執筆は編集委員会が委嘱する。

### 第2章　執　　筆

（執筆者）

第6条 『インターカルチュラル：日本国際文化学会年報』の執筆者は、次に掲げるものとする。

⑴ 本学会の会員

⑵ 共同執筆者（前号の会員と共同で執筆する者で、編集委員会の承認を受けた者をいう。）

⑶ 第1号の会員以外の者で、編集委員会が『インターカルチュラル：日本国際文化学会年報』の趣旨に特にふさわしいと判断して推薦した者

（原稿のジャンル）

第7条 『インターカルチュラル：日本国際文化学会年報』に掲載される原稿（以下「原稿」という。）は、次に掲げるジャンル（以下「ジャンル」という。）に属するものとする。

⑴ 論文：国際文化学に関する学術論文と呼ぶにふさわしい水準の内容と形式をもつもの

⑵ 研究ノート：国際文化学に関する問題提起、新しい研究領域の提示等を行うもの

⑶ 実践レポート：国際文化学の教育、研究に関する実践活動についての報告

⑷ 研究動向：最新の研究トピックに関する紹介

⑸ 書評：国際文化学に関する学術著書及び論文についての紹介と論評

⑹ その他編集委員会がとくに必要と認めたものは、『インターカルチュラル：日本国際文化学会年報』に掲載することができる。

（原稿の分量）

第8条　原稿の分量は、原則として400字詰め原稿用紙50枚を上限とする。ただし、特段の事情があり、編集委員会の許可を得た場合には、この限りではない。

2　外国語等による原稿の分量は、日本語による原稿の掲載頁を上限とする。

（原稿の掲載順序）

第9条　原稿の掲載順は、論文、研究ノート、実践レポート、研究動向、書評、その他の順とする。

2　同一ジャンル内の原稿掲載順は、編集委員会がこれを定める。

（刊行）

第10条『インターカルチュラル：日本国際文化学会年報』は、原則として年1回刊行する。

2 『インターカルチュラル：日本国際文化学会年報』の刊行期日は、原則として毎年3月とする。

3 『インターカルチュラル：日本国際文化学会年報』の発送先については、別表で定める。

（投稿の条件）

第11条 『インターカルチュラル：日本国際文化

化学会年報』の執筆者は、原稿がいずれのジャンルに該当するかを示して投稿すること。

第３章　編集委員会
（組織）
第12条　編集委員会は、本学会の会員をもって組織する。
（編集委員の選任）
第13条　本学会は、編集委員会の構成員（以下「編集委員」という。）５名を理事会において選任する。
２　編集委員の内２名は、常任理事から選出するものとする。
（編集委員の任期）
第14条　編集委員の任期は２年とする。
２　任期満了前に退任した編集委員の後任として選出された編集委員の任期は、前任者の残任期間とする。
（委員長）
第15条　編集担当常任理事１名は、編集委員会委員長（以下「委員長」という。）として編集委員会を統括する。
（招　集）
第16条　委員長は、編集委員会を招集し、その議長となる。
（定足数・表決）
第17条　編集委員会は、編集委員の３分の２以上の出席がなければ、議事を開き議決することができない。
２　編集委員会の議決は、出席した編集委員会の過半数で決し、可否同数のときは、議長の決するところによる。
（議事録）
第18条　編集委員会は、議事録を作成しなければならない。
（編集委員会の権限および所掌事務）
第19条　編集委員会は、次の事項を審議決定し、本学会の理事会に報告し承認を受けなければならない。
⑴　『インターカルチュラル：日本国際文化学会年報』の編集及び刊行に関する具体的事項の決定
⑵　『インターカルチュラル：日本国際文化学会年報』の刊行に必要な細則の制定
⑶　『インターカルチュラル：日本国際文化学会年報』の掲載原稿の依頼
⑷　『インターカルチュラル：日本国際文化学会年報』の刊行に関する会計
⑸　その他編集委員会が必要と認めた事項
（掲載原稿の決定）
第20条　編集委員会は、掲載原稿を決定する場合には、しかるべき専門家２名に査読を依頼し、その意見を聴取しなければならない。
２　執筆者が大学院・学部の学生である場合には、前項の査読者は、執筆者の指導教授以外の者でなければならない。
第21条　編集委員会は、掲載希望原稿の掲載を断る場合には、その理由を文書により具体的に説明しなければならない。
２　上記の理由に関する学術的な問題点があると判断した場合には、投稿者は編集委員会に対して再査読を要求することができる。編集委員会は、最初の査読時とは異なる専門家２名に査読を依頼し、その意見を聴取した後、再度掲載について審議し、その結果を投稿者に伝える。再査読は一度のみで、これをもって掲載に関する最終的な結論とする。
（バックナンバーの管理）
第22条　編集委員会は、『インターカルチュラル：日本国際文化学会年報』のバックナンバーを維持管理しなければならない。

第４章　会計及び事務
（会計）
第23条　『インターカルチュラル：日本国際文化学会年報』の刊行に関する経費は、本学会の予算をもってこれにあてる。

第５章　要項の変更
（要項の変更）
第24条　この要項の改正は、本学会の会員総会において、出席した会員の過半数の賛成をもって承認されたときに成立し、可否同数のときは、議長の決するところによる。

## 『インターカルチュラル：日本国際文化学会年報』投稿規程

１．寄稿資格

本会会員の方は自由に投稿できます。寄稿規程並びに執筆細則を熟読の上投稿してください。ただし、会費滞納の場合審査および掲載をしないことがあります。また編集委員会が必要と認めた場合は、非会員にも寄稿を依頼することがあります。

２．審査

投稿された原稿を掲載するか否かは、『インターカルチュラル：日本国際文化学会年報』編集要項の第20条、第21条に基づいて編集委員会で審査の上決定します。なお、原稿（図表、写真、電子媒体などを含む）は採否にかかわらず返却しません。

３．事前申し込み

投稿する場合は、「氏名、所属、投稿のジャンル、題名（仮題も可）、執筆言語」を記載して事前申し込みをしてください。第20号の事前申し込みは2021年7月20日必着にて、電子メールに添付して下記メールアドレスまで送ってください。

電子メール：editorialboard.intercultural@gmail.com

事前申し込みをせずに投稿されたものは受理しませんので注意してください。

４．枚数

枚数（400字１枚計算）には原則として下記の制限を設けます。いずれも本文、図表、注、文献目録等を含めた枚数です。ただし欧文要旨は枚数には含みません。枚数超過の場合、審査対象としないこともありますので注意してください。なお、原稿にはページを付してください。

論文　50枚以内＋欧文要旨（200語程度）
研究ノート　30枚以内
実践レポート　30枚以内
研究動向　30枚以内
書評　５～10枚

５．投稿形式

原稿はWord文書で作成し、電子メールにファイルを添付して提出してください。同時に、プリントアウトした投稿原稿（紙媒体）を提出してください。

６．提出先および問い合わせ

第20号投稿原稿は2021年8月20日必着にて、電子メールに添付して下記メールアドレスまで送ってください。問い合わせ先も同アドレスです。

電子メール：editorialboard.intercultural@gmail.com

合わせて投稿原稿（紙媒体）を、下記の事務局まで送ってください。封筒に「『インターカルチュラル』第20号投稿原稿在中」と記してください。

事務局：
〒612-8577　京都市伏見区深草塚本町67
龍谷大学国際学部松居研究室
日本国際文化学会事務局

７．校正

校正は著者校正を原則とします。なお、審査制度を設けているので、採用決定後の校正段階での誤植以外の修正は原則として認めません。校正段階で大幅な加筆、修正があった場合、掲載延期および取り消しとなることもあります。また、組み替えなどによって生じる必要経費はご負担いただきます。

８．著者献呈

著者には掲載号を２部進呈いたします。それ以上の部数をご希望の場合は、２割引でお買い上げください。

９．その他

本誌に発表されたものを転載する場合は、編集部にご一報の上、出版物を一部本学会にご寄贈ください。

〈執筆細則〉

１．用紙指定

プリントアウト原稿はＡ４用紙、１枚800字詰め（横書き40×20）とします。

２．構成

＊論文：題名、キーワード、目次、本文、注、参照文献、欧文要旨
＊研究ノート：題名、キーワード、目次、本文、注、参照文献
＊実践レポート：題名、キーワード、目次、本文、注、参照文献
＊研究動向：題名、キーワード、目次、本文、注、参照文献
＊書評：編・著者名、書名、副題、版数、出版地、出版社、刊行年、総頁数、定価を明示

3．欧文要旨（論文のみ）

論文には欧文要旨（英語、独語、仏語のいずれかで、200語程度）が必要です。欧文要旨は事前にネイティブ・スピーカーによるチェックを受けて提出してください。その上で校閲しますので、対応する和訳を必ず付けてください。なお、論文を日本語以外の言語で執筆した場合は、日本語要旨（400字程度）が必要です。

4．欧文タイトル

論文、研究ノート、実践レポート、研究動向には欧文タイトルを付けてください。

5．投稿原稿の匿名化

投稿された原稿は投稿者を匿名として査読に付しますので、本文や注の中で投稿者自身の文献について表記する場合、第三者による文献と同様に表記し、「拙著」や「拙稿」といった形で文献表記をしないでください。

# 平野健一郎賞規程

2008年7月13日制定

第1条（名称）
この賞は「平野健一郎賞」と称する。

第2条（目的）
この賞は、日本国際文化学会（以下「学会」という。）が国際文化学の発展に資する研究を奨励し、若手研究者の功績を評価顕彰することを目的とする。

第3条（基準）
前条の目的を達成するため、次の基準を設ける。

（1）授与資格
本学会に所属する若手研究者。「若手」の定義はおおむね45歳以下とするが、論文の内容、執筆者の経歴なども考慮して決定する。

（2）授与対象
1）直近に刊行された学会誌『インターカルチュラル』に掲載された研究論文。ただし、第1回の授賞のみ、創刊号から直近刊行号までの『インターカルチュラル』に掲載された研究論文を対象とする。
2）会員の自薦または他薦により、推薦のあった研究論文。大学紀要などに掲載された研究論文に限る。研究論文を推薦しようとする者は、研究論文の写し6部、執筆者の氏名・肩書き・年齢、論文掲載紀要などの書誌項目、査読の有無、推薦者の氏名・肩書き・推薦論文執筆者との関係、2000字以内の推薦理由書等の必要事項を添えて、学会事務局に提出する。締め切りは、4月30日必着とする。

（3）授与件数
1年に1度1件を原則とする。ただし、該当者がいないときは授与を行わない。第1回の授賞のみ、3件まで授与できるものとする。

第4条（選考）
選考のために、平野健一郎賞選考委員会を設ける。選考委員会は、『インターカルチュラル』編集委員長と編集委員長が指名する編集委員1名、常任理事会が会員の中から指名する者3名の計5名で構成し、選考委員会委員長は選考委員の互選によって選出する。選考は、選考委員会における討議を経て、選考委員の投票によって決する。討議に際し、選考委員会が必要と判断したとき、選考委員会は選考委員以外の会員に論文考査を依頼することができる。選考結果は選考委員会から常任理事会に報告し、さらに理事会の承認によって授賞者を決定する。選考委員会は選考理由を公表しなければならない。

第5条（授与）
平野健一郎賞として、本賞（賞状）および副賞（5万円）を授与する。授与は当該年度の全国大会において行う。

第6条（賞授与の原資）
学会は、平野健一郎賞の本賞と副賞のための原資として、平野健一郎賞基金を設ける。同基金は、任意の寄付を募り、それによって寄せられた寄付金をもって設置する。学会は、通常会計とは独立してこの基金を管理する。本賞と副賞はこの基金から支出する。平野健一郎賞を実施運営するための間接経費は、通常予算から支出する。

第7条（規程の改廃）
この規程の改廃は、常任理事会の決議により行う。

附則
2014年7月4日、第5条改正、改正後の規程は2014年7月4日から施行する。

## 日本国際文化学会会員の方々へ
## 新しく日本国際文化学会へ入会ご希望の方々へ

おかげさまで日本国際文化学会年報《インターカルチュラル》も19号を刊行することができました。篤く御礼申し上げます。これからも本誌は日本国際文化学会会員の研究成果の発表の場として、その役割を果たしていく所存でございます。
そこで今後の日本国際文化学会大会の発展と研究活動を支えていくために、会員各位の友人知人の方々、大学院生や学生の方々、学問領域や研究分野が隣接する方々に日本国際文化学会への入会をすすめていただきますようお願い申し上げます。また研究資料として、会員各位の大学図書館や研究室にぜひ本誌を揃えていただきますようお願い申し上げます。定期購読のお申し込みは最寄りの書店、大学生協などで常時受け付けております。
あらたに日本国際文化学会に入会ご希望の方は学会事務局にお問い合わせ下さい。

日本国際文化学会事務局
〒612-8577　京都市伏見区深草塚本町67
龍谷大学国際学部松居研究室
e-mail：jsics@world.ryukoku.ac.jp

*

1人の、もう1人による、もう1人のための日本国際文化学会
1冊の、もう1冊による、もう1冊のためのインターカルチュラル

INTERCULTURAL

# インターカルチュラル 19

日本国際文化学会年報

2021年3月31日発行（毎年同日発行）

編　者　日本国際文化学会［会長　馬場　孝］
年報編集委員会［委員長　小林文生］

発行者　犬塚　満

発行所　株式会社 風　行　社
〒101-0064　東京都千代田区神田猿楽町1-3-2
Tel. & Fax. 03-6672-4001
振替00190-1-537252

装　幀　安藤剛史

印刷／製本　中央精版印刷株式会社

ISBN978-4-86258-136-5